JN078815

安倍晋三の遺志

日本国民よ、「喪失」を超えて「覚醒」せよ

小川榮太郎

かや書房

〈新版〉への序文

本年（令和四年）五月、私は自身の誕生日のフェイスブック投稿で、次のように激しい言葉を発した。

日本の置かれたかくも厳しい危機の中、各界有力者は誰も何もやらない。私はここまで愚かな人達の国の中で余生の長さを思うよりは体当りの短命を選びたい。

それに対し、早速応じてくださったのが安倍晋三元首相であった。

安倍氏は次のように書き込んでくださったのであった。

おめでとうございます。共に戦い始めた頃は、40代、50代の前半。お互い粘り強く行きましょう。

私は、安倍氏の総理退任後も、しばしばお会いしては、日本の現状への厳しい見通しを披瀝していた。実際、この投稿の四日前にも衆議院議員会館の事務所でお会いしている。安倍氏は最後まで、明るく前を真直ぐ向きながら、精力的に仕事をされていたが、実際には、日本が内外から瓦解する可能性については、厳しい認識を共有しておられた。

そうした共有の上で、安倍氏は、「体当りの短命を選びたい」と書いた私に、「お互い粘り強く」と声をかけてくださったのだった。

ところが、どうであろう。

それから二カ月もせぬ、あの七月八日、安倍氏は選挙戦の最中に凶弾に斃（たお）れ、「共に戦う」日々は、永遠の終止符を打たれたのだった。

その日からの私の悲嘆、絶望、憤怒はいまだ言葉に尽くせない。

安倍氏不在を埋めるべく、非力を承知の上で、岸田政権に働きかけを続け、全力で走り続けているが、ふと安倍氏を思い出せば、落涙を禁じ得ない。ここまで齢を重ねてなお、人はこれほど涙を流せるものなのかと我ながら呆（あき）れている。

一人の人間としての安倍さんほど、優しく、温容と楽しさと落ち着きに溢（あふ）れ、嘘や虚飾のない人には、ほとんど出逢った事がない。その意味で私にとっての安倍さんは、戦友であるのみならず、掛け替えない知己（ちき）だった。おそらく、政治家、官僚、ジャーナリズムなど各界で共に戦ってきた方々にとっても、「安倍さんだけは己（おのれ）の戦いの意味を了解してくれている」と感じさせる、そういう「知己」だったのではないかと思う。安倍さんは、そういう人だった。
その温良の知己をこのような形で喪った私の悲しみと憤りは、底の知れぬ井戸のように暗く、深い。

他方、日本にとっての政治家・安倍晋三は、存在そのものが安全保障であった。一人で国のシンクタンク機能を果たし、一人で安全保障上の砦の役割を果たしていたからである。

安倍氏の政策理解力と判断力は、想像を絶するものだった。

身近で見ていた側近たちは、誰もがそれを知っているだろう。

あらゆる進言に心を開き、国政を巨細の漏れなく掌握し、大局のみならず、小さな戦術レベルの事さえ、しばしば本人が決断する総理大臣だった。政治家として国家を引き受ける覚悟と、それに見合うだけの超人的な努力、蓄積、知力、忍耐力、人間的な包容力と余裕とがなければ、これは到底できる事ではない。

安倍氏の突然の死は、そうした日本の核心となる政治的な能力の予想外の消滅を意味する。

日本は巨大で的確な羅針盤を失い、中国、北朝鮮、ロシアという核保有国の、近年過激化し続けている凶暴性に、砦なしに対峙せねばならなくなった。

彼らの戦術核使用の恫喝、台湾侵攻への露骨な野心は、日本のように多年核議論すら避け、核兵器の保有はおろか核シェルターさえ未整備できた国においては、文字通り致命的な危機となる。

私は本書の〈旧版〉（原題『最後の勝機（チャンス）』、ＰＨＰ研究所）を八年前に上梓した折の「はじめに」の冒頭で、「今、日本は既（すで）に戦場だと言っていい」と書いている。

八年前の私に既に「戦場」に見えていた日本は、いよいよ現実の戦争当事国になる可能性を帯び始めている。

その事を安倍氏自身が誰よりも認識しながら政治に当った事は、先に紹介した私への言葉「共に戦い始めた頃は、40代、50代の前半」との表現によく表れているだろう。

安倍氏は、その戦いの先頭に立ち続け、ついに戦いの庭である選挙演説の現場で凶弾に斃れた。壮烈な「戦死」である。

＊

私が安倍氏に初めてお会いしたのは十一年前、東日本大震災の年の九月である。当時、私は民主党政権の壊滅的な政治と震災対応のひどさに強く憤り、民間有志とともに安倍氏の総理再登板運動を立ち上げていた。

私は、主に民間有識者の取り纏（まと）めや、大学生ら若い世代と安倍晋三の距離を縮める運動に奔走しながら、他方で第一次安倍政権の事績を述べたドキュメンタリー『約束の日　安倍晋三試論』（幻冬舎）を執筆し、安倍氏は同書刊行直後、総裁選に勝利した。安倍氏の再登板を日本の再生のために必須と考えてくださった幻冬舎社長・見城徹氏の英断による緊急出版だった。

以来、私は文藝評論家として昭和までの文学伝統を継承する著述に当る一方、日本を取り戻す安倍首相の戦いを、微力ながら「共に戦って」きた。

本書の〈旧版〉は、そうした安倍氏との共闘を戦うために書かれた、いわば私の最初の国家論集である。

私は八年前の同書の「はじめに」で、「安倍氏が首相である間に――『最後の勝機（チャンス）』を逸しない内に――、日本を建て直し、守る為の成果を出さねばならない」と書いている。

しかし、今や安倍氏は首相でないどころか、この世を去られてしまった。

私たちは、「最後の勝機」そのものであった安倍晋三を喪って、核戦争の危機、人口激減による民族消滅の危機を始めとする、亡国の諸相と戦わねばならない。

何と厳しい状況である事だろう。

時あたかも、八年前に本書の〈旧版〉を編集担当くださった白石泰稔氏（元PHP研究所、現かや書房）が、〈新版〉としての再刊を申し出てくださった。有難くお受けする事にして、久しぶりに読み直したが、驚くべき事に、いまだ危機の最前線のレポートたり得ている。本書の論述を安倍氏が大きく乗り越え、あまり意味がなくなっているのは外交分野だけだと言ってもいい。

その外交も安倍氏不在となってしまえば、どこまで日本の影響力を保持し続けられるか、不安は大きい。

何よりも、保守論壇、保守思想のこの八年間の、政治課題についての不作為は残念極まりない。

本書で言えば、「神学としての靖国、戦略としての靖国」は、安倍政権が積み残したまま、保守論壇もかつて江藤淳氏や小堀桂一郎氏が精力的に動いた時の万分の一の役割も果たせていない。また、「保守は安倍首相に甘えてゐないか」は、政治の動向に一喜一憂しては、政権の長期的な戦略の妨げになる、保守論壇や保守派の弱さを指摘したものとして、今なお再読していただくに値すると思う。とりわけ最近の後先を見ない岸田叩きを見るにつけ、思い半ばにするものがある。

改題を『安倍晋三の遺志』としたのは、編集部の慫慂（しょうよう）に従ったまでだが、本書で論じた「戦い」を継続し、「戦後レジームからの脱却」を完遂する事が、安倍氏の宿願だった事は間違いない。

今は幽明相隔（ゆうめいあいへだ）たる事になった安倍氏の墓前に、本書の改題を謹（つつし）んでご報告したい。

読者諸氏におかれては、安倍氏不在の日本にとっての羅針盤として読んでいただければ幸いである。

令和四（二〇二二）年十一月八日

小川榮太郎

はじめに〈旧版〉

今、日本は既に「戦場」だと言っていい。

この「はじめに」を書く前日、五月十六日の『朝日新聞』朝刊には次のような大見出しが躍った。

「近づく戦争できる国　遠のく憲法守る政治」

「見えない外交戦略　憲法の根幹骨抜きに」

「沖縄が真っ先に狙われる」

「中韓、募る不信」

前日に、安倍晋三首相が集団的自衛権の行使に関する記者会見を行ったのを受けての事だ。が、安倍首相はこの記者会見で、極めて限定的な解釈変更のみを語っている。従来の政府解釈を超えた自衛の為の「武力行使」は外している。「憲法の根幹骨抜きに」と言うが、集団的自衛権は国連憲章五一条で定められている国家固有の自然権だ。国際法遵守を明記する日本国憲法は、本来、それに沿って解釈されるのが筋である。そもそも自衛権の議論の本質は、自衛できるか否か、つまり国民の生命や財産を守れるか否かが中心主題の筈だ。これらの大見出しには、その視点が全くない。

「沖縄が真っ先に狙われる」とは何事か。既に、中国は沖縄に狙いを定め、沖縄の情報を独占する地元紙と左翼活動家を使って、沖縄盗りを始めている。それに加担して沖縄独立を唆してきたのは、朝日新聞ではないか。「中韓、募る不信」に至っては笑止千万だ。日本の新聞なら、両国が国際社会で繰り広げる執拗な日本非難、中国の尖閣への軍事圧力に対する「不信」を書くのが最低限の筋だろう。それにそもそも中韓以外の世界——アメリカ、ＡＳＥＡＮ、ＥＵ諸国は今回の解釈変更を強く支持している。その事は一行も記事になっていない。

大体、総理の会見をきちんと聞けば、こんな見出しは付けようもないのである。

> 「日本が再び戦争をする国になる」といった誤解があります。しかし、そんなことは断じて有り得ない。日本国憲法が掲げる平和主義は、これからも守り抜いていきます。そのことは明確に申し上げておきたいと思います。
>
> むしろ、あらゆる事態に対処できるからこそ、そして対処できる法整備によってこそ、抑止力が高まり、紛争が回避され、わが国が戦争に巻き込まれることがなくなる、と考えます。

自衛隊が、武力行使を目的として、湾岸戦争やイラク戦争での戦闘に参加するようなことは、これからも決してありません。

（「安倍首相記者会見録」より）

これが、どうしたら、先の見出しになるのか。総理が語っている事と非難とが全く噛み合っていない。

要するに総理が何を語ろうと、それを、はなから黙殺して、全く総理の語っていない事を非難している。読者の大半は見出しで判断する。ここまで来ると印象操作ではなく、ただの大ウソだが、普通の人間は、大新聞やテレビが、文字通り完全なウソを垂れ流すとは思わない。そもそもそんな世渡りをするのはプロの詐欺師だけで、どんな口八丁の営業マンだって、白い家具を黒と偽って売りはしない。いや、詐欺師だって嘘をつくには工夫するだろう。

安倍氏は、首相として、言うべき事はできる限り誤魔化さず正確に語り、マスコミに叩かれても、自分の主張を臆せず語り続けている。批判する側も、正攻法で、首相の発言を正確に伝え、良識に則り、建設的な批判をすればいいだけの事だ。叩くなら正々堂々と叩けばいい。だが、彼らは決してそうしない。国民にウソの安倍像を刷り込む事で安倍首相を引き摺り下ろそうとする。

しかも尖閣の海では、平成二十五（二〇一三）年度の対中国への航空自衛隊の緊急発進が、四一五回に上る。平成二十一（二〇〇九）年までの中国への緊急発進が平均三〇回を下回っていた事を考えれば、異常な増加だ。ロシアの挑発も増し、日本近海の状況は冷戦最盛期に匹敵する危機に突入したと言っていい。

国民の大多数は日本が今本当に置かれている事態を知らない。安倍総理の戦いの本質を知らない。安倍総理の戦いが自分の戦いでもあり、それは自分やその家族、子供、孫を守る為の戦いである事も知らない。マスコミの安倍叩き、思考停止をしたマスコミの「平和」「平和」の叫び声こそが、日本を脅かす最大の平和の敵である事を知らない。この構造の全てを指して、私は「日本は既に『戦場』」と言うのである。

*

私は、『約束の日』『国家の命運』という二冊の安倍晋三氏関連の本を書いているが、本書はそれらの政治ドキュメントとは性質を異にする。政治と思想の二元性をできる限り潔癖に峻別しながら、時にあえて政治的現実の一部と化し、時に言葉の領分にあくまで踏みとどまる。が、志はあくまでも小林秀雄、福田恆存、江藤淳らの批評の営み、言葉の力によって現実と対峙しようとする仕事を継ごうとしたものである。詳しくは一篇一篇の論考で丁寧に論じたから、是非、本文を繙（ひもと）いてほしいが、私は、本書で、日本人としての精神の構え、言い換えれば、日本を保守するとはどういう事なのかを問い続けた。

私の立場は一貫している。政治的には、今ここが日本にとってのギリギリの危機であり、戦場である事。そして、この戦いの総帥として安倍首相程相応（ほどふさわ）しい人物はおらず、安倍氏が首相である間に――「最後の勝機（チャンス）」を逸しない内に――、日本を建て直し、守る為の成果を、「一兵卒」として、可能な限り具体的に出さねばならないという事。一方、思想的には、状況に迎合せず、日本とは何か、日本の内政外交の針路をどう定めるかを、あくまで原理的に考え続けるべきだという事だ。

　月刊誌への発表論文を中心に編んだ本なので、時々の状況に応じて判断の揺れ、記述の矛盾、重複はある。一冊の本として通読に耐えられるよう文章は徹底的に直したが、そうした揺れや矛盾、重複は敢えて残した。政治的現実に全力でぶつかってゆく言葉の不器用な表情そのものこそ、読者に共有していただきたかったからである。私の議論に賛同してくれる方があれば嬉しいが、逆に、賛成できないという方がいれば、そこから静かで真摯（しんし）な論戦が生まれる事を望んでいる。本書はそれが可能なだけの土台にはなっていると思う。

　私は、早手回しに結論に飛びつくよりも、本当に日本の現在を見詰め、明日を考えようとする真摯な人々と共にありたい。本書が、そういう方たちの力となりヒントになってくれれば、こんなに嬉しい事はない。

　なお、序章以降の本文は（ルビを除いて）全て歴史的仮名遣いになっている。抵抗を感じる方は、試しに最初の一、二頁、低い声で音読しながら読んでいただきたい。すると後は慣れて、自然に頭に入るようになる筈だ。

この仮名遣いは「百人一首」を選定した藤原定家が確定して以来、ＧＨＱの占領時代にどさくさで現行の仮名遣いになる迄、七百年以上用いられてきた合理的で精度の高いもので、それだけ日本人のＤＮＡに深く響く。私は以前、塾や予備校で小学生から高校生までを随分教えたが、彼らに歴史的仮名遣いの文章を時々混ぜて教えると、皆すぐ慣れた。しかも、教えもしないのに、作文をさせると歴史的表記が混ざる子供が続出する。日本語の生理に適っているからであろう。

私が何故この仮名遣いにこだわるかの詳細は、理論的に精到な名著としては福田恆存『私の国語教室』（文春文庫）、歴史的文献としては森鷗外『鷗外論集』（講談社学術文庫）の中の「仮名遣意見」、入門書としては萩野貞樹『旧かなづかひで書く日本語』（幻冬舎新書）などを参照いただければ幸いである。

平成二十六（二〇一四）年五月十七日

小川榮太郎

安倍晋三の遺志
——日本国民よ、「喪失」を超えて「覚醒」せよ

目次

第二章　神学としての靖国、戦略としての靖国

第三章　保守とは何か——考へる作法

終章 日本国民に眠る叡智

編　集／白石泰稔
装　丁／柿木貴光
著者撮影／岩本幸太
カバー写真／アフロ

序章

日本の「勝機（チャンス）」を逸しない為の覚悟

「今、ここ」が「戦場」であるといふ自覚

（『正論』平成二十六〈二〇一四〉年七月号掲載論文を改稿）

戦後、見た事のない光景

先般の日米共同宣言に、日米安保条約の再確認と、安保条約のコミットメントに、尖閣諸島を含む事を明記するといふ、大きな成果が盛り込まれました。更に、集団的自衛権、日本版ＮＳＣ、特定秘密保護法に関してもアメリカの支持が明記された。

オバマ大統領は、シリア、クリミアで断乎たるリーダーシップをとれず、国際社会を失望させてきた。日本の有識者たちも、オバマのアメリカが世界の警察官から降りる事で、尖閣危機が現実のものになる可能性を、憂慮し続けてきた。

そのオバマ氏が、歴代大統領で初めて尖閣危機に対して同盟国である日本の側に立つ事を明確に宣言した訳です。オバマ氏は記者との質疑では、「尖閣の全ての戦闘にアメリカが参加するとは限らない」と留保を付けた。共同宣言も中国に対する遠慮が露骨で、私などは読んで不愉快だつた。が、それもこれも、今ここで問題にしても仕方ない。アメリカの宥和的な姿勢は、中国へ

の大きな油断だと思ふが、日本が外交・安全保障の自立を今日まで怠つてきた代償だからです。それよりも、「尖閣」問題が、中国側に起因する事を日米首脳が世界に公にした、これは日本外交の大きな勝利でせう。その証拠に中国は極めて大人しい反応しかしなかつた。大騒ぎすれば世界に逆宣伝する事になつてしまふからに違ひない。

一方、ＴＰＰ交渉は、戦後日米外交史でも稀に見る強硬な姿勢で、日本の農産物の要求を貫き、自動車輸出に関するアメリカ側の要求を拒否し続けた。首脳会談前に全く譲歩の姿勢を示さなかつたから、共同宣言で一気に妥協する芝居かと思つたがさうではありませんでした。共同宣言の発出を一日ずらした挙句、譲歩はできないといふのがオチだつた。アメリカ大統領が訪日し、要求を纏める強い決意でゐるのに、その要求を容れずに彼を帰してしまふといふのは、戦後外交レジームからの明らかな脱却です。担当大臣の甘利明氏の頑強な踏張りも、オバマ氏相手に満面の笑みで寿司を頬張りながらそれを押し通させた安倍首相の非情も、戦後日本人離れしてゐたと思ふ。担当者のフロマン通商代表に向かつて、菅義偉官房長官が「あなたの御蔭で甘利が鍛へられてゐる」と冗談を言つたといふのも、隔世の感ではないでせうか。佐藤栄作とリチャード・ニクソン、中曽根康弘とロナルド・レーガン、小泉純一郎とジョージ・ブッシュJr……。これら戦後日本で存在感ある日本の歴代総理も、アメリカ大統領と対すると如何にも宗主国に対する被植民国家の代表然に見えたものですが、今度の安倍晋三とバラク・オバマからはその匂ひが消えてゐた。

従来の日本なら、尖閣問題で煮え切らないオバマ政権を日本側に立たせる為には仕方ない、TPPではいい加減な所で手を打つて譲歩しよう――から考へたでせう。そして、実際には、逆の結果をつくりだしてきた。つまり、飛車を守りたいがために、角は捨ててもいいと考へ、妥協し、譲歩し、腰を低くし、詫びを入れ、結局は、飛車も角も取られる。このケースで言へば、TPPで譲歩をし続けた挙句、尖閣における明確なアメリカの言質もとれないで終はる。極論すれば、そんな外交が戦後の日米関係史でした。

アメリカが理不尽なのではなく、日本が馬鹿なだけだ。アングロサクソン的な人生観では、負け犬にくれてやる余計な餌などありはしない。自ら進んで白い腹を見せてくるやうな奴をどう相手にすればいいといふのか。彼らの辞書には、尊敬のない所に譲歩もないと書いてある。

その意味で、安倍外交は、アングロサクソン基準でノーマルなものだつたと言へる。譲歩しない事への批判も出たが、中国の軍事的圧力の中でさへ、日米首脳会談で妥協しない日本の姿は、それだけで中国に大きな警告を与へた事でせう。一言で言へば、安倍首相といふ指導者は、従来の基準では全く読めない、といふ不安感です。

TPPそのものへの評価については、今は措き、安倍首相が「譲歩しない日本」を、内外に見せつけた、それこそが今回の日米首脳会談の成果だと私は思ふ。同盟国だから譲歩するのではなく、同盟国だからこそ、したくない譲歩はしない、安倍日本はさういふ国だと、世界の外交筋が皆認識した。戦後、見た事のない光景だと言へる。

この交渉に先立つ、四月二十日付の「ｚａｋｚａｋ」といふ電子配信の記事で、ヘンリー・ストークス氏が、次のやうに書いてゐましたが、今回の外交姿勢も同じやうに受け止められる事でせう。

実際、安倍首相は外国メディアにとても好意的に受け入れられている。例えば、今年1月のダボス会議だ。『フィナンシャル・タイムズ』紙の記者で、会議に参加した私の友人が話していた。

「参加した首脳の中で、特に目立った人物が2人いた。その1人が安倍首相だった」

ダボス会議には、世界中から政財界の要人が約2万人参加する。そのなかで頭角を現すのは、並大抵のことではない。

先の友人は、安倍首相が講演したとき、すぐ近くで聞いていた。親しい関係ではなく、ほとんど初対面だったが、安倍首相に魅了されたらしい。（略）

私は、安倍首相は世界のリーダーの中で突出した存在だと思っている」

五十年に及ぶ政治家取材経験のあるイギリス人記者にここまで言はせるのは、並大抵ではありません。白人の我々を見る目の厳しさを勘定に入れれば、猶更（なおさら）です。が、それは、何故なのか。安倍氏が世界の側から見て、勝者に見えるからです。

「優位戦思考」で世界に勝つ

世には様々な政策論があり、外交論がある。さうした専門の議論は勿論大切だし、大いに戦はせればいい。しかし、日本の政治・経済論に指導者論がゼロだといふのが、私は前から気になつてゐた。今日のやうに世界が情報で一つに繋がる時代には、指導者が、世界で通用するかどうかは、国力の大きな一部です。

いや、それどころではない。この一年数カ月、安倍晋三が首相だといふ事実だけから生じた国益がどれだけあるかは、株価の時価総額一〇〇兆円増の恩恵だけでは済まない筈だ。様々なトップセールスも政府主導の賃上げも、安全保障上の強化も、これら全てを数値化したら、天文学的な値になるでせう。

政治も経済も、理論や数値に還元しきれるものではなく、それ自体が人間的、余りに人間的な、生臭い事象です。「指導者」といふファクターについての、行き当りばつたりでない質の高い論は、これからの日本に不可欠だと思ふ。

その意味で、安倍外交が勝者の外交になつてゐる根本的な理由の説明として、最近会心だと膝を打つた本があつたので、ご紹介しておきたい。日下公人氏の『優位戦思考で世界に勝つ』（PHP研究所）です。

冒頭、日下氏が麻雀の名人に何故そんなに強いのかと尋ねた時、「強いと思われている内は強い」と答へたといふエピソードなど、安倍外交の妙所を突いてゐると思ふが、かうした思考法を日下氏は、一言で、「優位戦思考」と呼んでゐます。


優位戦思考とは何か――。

アメリカの小噺(こばなし)に、こういうのがある。

〈メリーちゃんとマーガレットちゃんは大の仲良し姉妹でした。あるとき、「オヤツの時間ですよ」と言われて二人が行ってみると、テーブルにはケーキが一つしか載っていませんでした。メリーちゃんは「マーガレットちゃんの分がない」と泣き出しました〉

これが優位戦思考である。

メリーちゃんはケーキを確保できるうえ、「妹思いの、いいお姉さんですね」と褒められる。先んずれば人を制す。劣位に追い込まれることなく自分の利益を確保できる。

欧米の政治家や外交官、経済人は、そうした思考に長けている。


（日下公人著『優位戦思考で世界に勝つ』ＰＨＰ研究所、一四頁）

日下氏によれば、これが優位戦思考であり、国際常識だ。世界はかういふ思考をベースに戦つてゐる。ところが、日本のエリートは全く逆で、劣位戦思考を得意とすると日下氏は言ふ。最初に枠が決められたテストでなら優秀な成績を出す。ネガティブな問題点に焦点を定めて、深刻に受け止めつつ、これを頑張つてゼロに戻すやうな解決をする。さういふ能力は高い。日下氏によれば、さうした日本人の平均的なエリートの思考法から見ると、安倍首相は段違ひの優位戦思考の持主だといふ。

確かにさうだ。安倍氏への常軌を逸した非難や挑発を続ける中国、韓国に対して、毅然とした外交を展開しながら、口を開けば「対話の窓は常に開かれてゐる」と世界中で言ひ続けてゐる事など、正に優位戦思考そのものでせう。非難の応酬は絶対にしない。かと言つて全く卑屈にならない。日本の方は窓を開いてやつてゐるのだから、来たければおいで。……これを聞く度に中韓の指導者がどんな気持になるかは、想像に難くありません。

日本は世界の情報戦の中で無為に時を過ごしてゐる内に色々な「言葉」を敵に取られてしまつたが、少なくとも、中韓との外交戦において、「対話」といふ言葉はこちらが獲得した。外交戦における優位戦思考とは、端的に、世界で得点できる「言葉」をどれだけ自分の駒にしてしまふかだ。さういふ意味で、解釈改憲、自衛隊法整備、憲法改正に先立ち、「積極的平和主義」を広く世界中で提唱してゐる事も、優位戦思考の表れです。「平和」といふ言葉を先手必勝で取らうとしてゐるからだ。

ちなみに、先の話でいへば、日本の保守派は「メリーの詭弁は許せない、抗議しよう、論破しよう」と発想しがちです。しかし、抗議しようと思つた段階で負けてゐるのです。論破しようと思つた瞬間、論破しなければならない土俵に上がつてしまふといふ根本的な失態を犯してゐるのです。こちらが騒ぐ程、周囲の同情はメリーちゃんに集まり、ケーキも嘘泣きの涙を拭ふメリーちゃんの口に悠々と入つて、をしまひ。

先日、長谷川三千子氏（埼玉大学名誉教授）と雑談してゐた折、この本の話が出たら、氏は笑ひながら「ああ、メリーちゃんの話でせう。あの話に優位戦で勝つのは簡単なのよ、私すぐに考へたの」と、こんな話をしてくれました。「あらあ、メリーちゃんは本当に優しいお姉さんね。でも大丈夫よ、これはマーガレットちゃんのだから」と言つてケーキをマーガレットちゃんにあげてしまへばいい。

なるほど、これが優位戦思考だ。優位戦思考の本を読んで、私のやうに感心して読者に紹介しようと考へてゐる内は、まだまだだ。読んだら瞬時に相手にどう勝つかと考へる長谷川氏の知的運動神経の良さ、これが優位戦思考です。

かうして、今回のケーキの帰趨がどうかは分らないにせよ、メリーちゃんと長谷川氏の「戦ひ」は、微笑みと善良を装ふ言葉の綾に包まれながら、どこまでも続く。戦ひが止む事はなく、誰が敵か、何が獲物かはステージ毎に変る。それが「世界」といふものなのです。

倒閣運動が既に始まつてゐる

一方、最近、新聞を見てゐると、安倍氏の優位戦外交に感心ばかりはしてゐられない国内政局記事が、俄かに散見されるやうになつてきた。一つひとつは小さな記事だが、侮れないと私は見てゐます。

自民党岸田派（宏池会）の名誉会長、古賀誠元幹事長は23日夜、都内のホテルで開いた同派の政治資金パーティーで挨拶し「いずれ宏池会を主軸とする保守本流の政権を再現する。それまでは安倍晋三政権をしっかり支えるのが保守本流の王道だ」と述べた。

（『朝日新聞』平成二十六〈二〇一四〉年四月二十四日付朝刊）

鈴木棟一氏は、同時期の『夕刊フジ』の記事で、二階俊博氏の言葉として、「来年の自民党総裁選で安倍首相が再選されたら、俺としてはその次は小渕優子を推したいと思っている」といふ発言を紹介してゐる。

典型的な政権への揺さぶりでせう。

さう言へば、少し前だが、古賀氏と野田聖子総務会長の関係を伝へる次のやうな記事も出てゐる。

古賀氏周辺が、野田氏側にアプローチしている。「集団的自衛権（の行使容認反対）でやれるだけやれ」「政治家として正念場だ」というもので、宏池会の会長ポストや、将来の野田政権構想までチラつかせているらしい。「野田氏もその気になっている」という話もあるが、とても信じられない。ただ、宏池会には、現会長の岸田文雄外相や林芳正農水相もいるだけに、面白くない面々もいるだろう（自民党中堅議員）。

（「ｚａｋｚａｋ」平成二十六〈二〇一四〉年三月十七日）

これ又、如何にも観測記事風になされてゐる。が、ポスト安倍として出る名前が小渕優子氏や野田聖子氏である事が、これらの記事の不気味な所だと言へる。常識的に、彼女たちが、安倍氏の次といふ選択肢はあり得ない。といふ事は、かういふ名前を、よりによつて政局のプロである自民党長老達が聞こえよがしに表に出すといふ事は、裏の世界、或いは裏の裏の世界辺りでは、本命を想定しての倒閣運動が既に始まつてゐると見るべきだからです。

無論、権力闘争は政治の活力源だ。国力、国益、国家の尊厳の為に、安倍氏の対抗馬を用意し、あくまで思想戦と国益の為の戦ひとして、安倍首相に手袋を投げつけるなら、立派なものです。

だが、彼らが、安倍政権を揺さぶつてきた、この二カ月程の語録を一覧すると、これは到底、国益の為の安倍批判などではない。

集団的自衛権の解釈変更について、自民党内から執拗に異論が出始めた事と、先のポスト安倍構想とが、発信源も時期もピタリと一致するからです。事の次第はかうだ。まづ、古賀誠氏や野中広務氏らが、集団的自衛権の解釈変更について「戦争の足音が聞こえる」などと、典型的な左翼語によつて不安を煽るテレビ発言を繰り返す。古賀氏は更に、「自民党議員が皆安倍首相のポチになつてゐて首相に物が言へない」とも発言、更にある記事によれば青木幹雄氏は参院幹部に「首相は焦りすぎだ」と苦言を呈したといふ。

かうして長老が仕込みを続けた挙句、三月十七日、古賀氏が講演で、解釈変更を「姑息なルール違反」と難じ、安倍首相の政治姿勢を、「愚かな坊ちゃん的な考え方」「わがままな坊ちゃん総理」と口を極めて非難するに至る。

その同じ日、自民党は、郵政民営化以来九年ぶりの総務懇談会を開きます。村上誠一郎氏が「憲法を閣議決定で解釈変更して、それに基づいて法律を出すのは言語道断だ」と発言し、船田元氏は手続きを踏み直すべきだとし、野田毅氏は「米国にありがた迷惑にならないか分析が必要だ」と牽制したと報じられてゐる。古賀氏と呼応して反安倍の狼煙を上げたと見るべきでせう。

更に村上氏は『世界』平成二十六（二〇一四）年五月号のインタビューで、ナチス政権が全権委任法によりワイマール憲法を形骸化させた歴史を引き合ひに、安倍氏が「同じ愚を繰り返す危険性がある」と指摘した。村上氏は、「『平和主義』と『基本的人権の尊重』、そして『主権在民』、この三つはアンタッチャブルであり、絶対に変えてはいけない基本原則です。その『平和主義』の核心に関わる問題においてすら、閣議決定で解釈が変えられるなどという前例がつくられてしまえば、他の分野にまでこの手法は及んでいきます」と言ふ。三つを「絶対に変えてはいけない基本原則」などと誰が決めたのか。憲法学の教科書が勝手にさう書いてゐるだけで、憲法の内部にはそのやうな原則規定はない。九条は百三ある条文の内の一つに過ぎない。日本国憲法の三原則といふのは、それこそ日本国憲法への特殊な読み、独断的な解釈に過ぎません。

今回の集団的自衛権の議論の本質は言ふまでもない。今までも、安全保障規定のない憲法を、何とか現実の国際情勢に合はせて、無理な解釈改憲で乗り切つてきたが、それでも現実との間尺が合はなくなつたから、改めて解釈を是正するといふ話です。

どだい、九条の文言を素直に読めば、最初から自衛隊そのものが違憲で、文言解釈により「必要最小限度の自衛権を認める」としてきた従来の政府解釈そのものがインチキだ。従来の政府見解も否定するなら別だが、従来解釈までは認めるといふのなら、後は、「必要最小限度」とは何かだけが問題になる。つまり九条問題については、大雑把に言へば、

①憲法の文言に素直に従ひ、自衛隊と関連施設全てを廃絶する
②文言解釈で現実の自衛権を確保する

の二つしか道はなく、ひとたび②をとる以上、

③自衛権の範囲を、現実に自衛が可能か不可能かに合はせ、法理的に可能な範囲で、時代状況に応じて解釈し直す

といふところまで認めねば、寧ろ整合性がない。

一方、野田聖子氏は、四月二十一日、「徐々に国家の安全保障にまで自民党は仕事を着手していく機運があるが、三年はじっくりと日本経済を支えることに一心不乱に取り組んでいくべきだ」と挨拶したといふ（『朝日新聞』四月二十二日付朝刊）。今は経済の時期だから安全保障をお留守にしますなどといふ寝惚けた国があるでせうか。安全保障といふのは、自分の側の都合やペースでは決められない。相手があるからするのです。

野田氏の眼には入らないのかもしれないが、普通の人間の眼には、今、中国の対日軍事的野心程明瞭なものは他にありません。毎年一〇%以上の防衛費増強を重ねながら、尖閣に触手を伸ばし、アメリカにも、様々な手段で、日本切りを露骨に要求してゐる。それを、冷戦秩序崩壊から二十五年、新たな針路も指針もなしに放置してきたのが日本だ。ところが野田氏は、更に三年放置しろと言ふ。日本をどうするつもりなのか。いや、ちよつと待つて欲しい、氏が「一心不乱に取り組んでいくべきだ」といふ「経済」にしても、これを回復させたのは野田氏ではなく、「安全保障で暴走してゐる」安倍首相その人ではないか。

勿論、安倍のポチになれといふのでもなければ、侃侃諤諤の議論がいけないと言つてゐるのでもありません。

私が憤るのは、これら自民党の有力議員たちが、よりによつて、今の今になつて、集団的自衛権の議論を蒸し返す事、国防の緊急要件を平気で政局にしようとするその根性に対してだ。

何故か。自民党は野党時代、石破茂氏主導の下、集団的自衛権の行使を含む「国家安全保障基本法」を取り纏め、総務会の了承ももう終へてゐる。しかも、安倍氏が選出された時の総裁選では、全候補が集団的自衛権の容認を主張した。更に党が圧勝した時の、衆参の選挙公約でもある。その上、安倍首相が解釈変更を決断するのは、就任当初から明らかでした。古賀氏や野田氏らが、もし本当に国の為を思つて慎重論を唱へるのなら、何故安倍氏の総理就任時、即座に党側で、新たな議論を立ち上げなかつたのか。要するに、この問題そのものには真の関心はない、政局に使へといふ不謹慎な心底を暴露してゐるとしか見えないではありませんか――。

高支持率に油断してはならない

さて、私がこんな政局話を持ち出したのは、読者に、安倍氏が戦つてゐるのは、かういふ世界だといふ基本的な事実を思ひ出してほしいからです。優位戦思考でかつてない熾烈（しれつ）な外交戦を戦ふ氏の背中のど真ん中を後ろからぶち抜かうと狙ふのは、社民党でも民主党でもなく、寧ろ身内だ。

少なくとも長老達に関して言へば、彼らは、間違ひなく、本気で倒閣を狙つてゐると、私は見てゐます。

倒閣とは何か。次期総裁選で安倍氏を落選させる事だ。実際、前回の総裁選では、安倍氏は党員票と議員票の配分ギャップの御蔭で辛勝したが、それを踏まへ、党規が変り、党員票のウエイトが一気に高まつた。総理や保守系側近議員が朝から晩まで国家の仕事をやつてゐる間に、反安倍派が、着々と、自民党地方支部の工作に、水面下で人と金を流し込み続けたらどうなるか。一年五カ月で日本をここまで再起させた高支持率の安倍氏が次期総裁選で落選する事など考へられないといふのは、保守派の甘えと幻想に過ぎない。高支持率に油断してはならない。

反安倍で動き出した長老や自民党有力議員は、どういふ訳か、こぞつて親中派だが、党外もきなくさい。安倍首相が憲法改正・愛国の緩やかな連合をつくらうと考へ関係を構築してきたみんなの党の渡辺喜美氏は失脚し、日本維新の会は分党してしまひ、石原慎太郎氏側に留まつたのは二三人だ。橋下徹氏は石原氏を切り、結いの党の江田憲司氏をとつた。共にキーマンは江田氏だ。安倍政権の安全保障政策や憲法改正に明らかに不利な野党再編がこんなに順調に進むとは、考へれば妙な話ではないか。江田氏とは何者か。この人の背後に何があるから、氏はここまで政界をかき混ぜられるのか。安全保障で安倍氏を揺さぶり続けてゐるのは公明党だ。これ又、更にその背後には何があるのか。

安倍政権は、その強い外交姿勢でとりわけ中国を焦慮させてゐる。中国の対日政界工作が露骨なのは昔から有名な話だ。安倍政権には党内基盤も利益誘導もない。皮一枚めくれば安倍政権は、今、この瞬間、実に脆弱(ぜいじゃく)なのです。反安倍包囲網は、既に国内外呼応して着々と進んでゐる。支持率を失つたら、一気に政局は流動化するでせう。

内閣が支持率を失ひ瓦解する時のスピードと押し潰す圧力は、凄まじい。これだけ強い政治は、潰れるとしたら凄まじい反発力で潰されます。政権が強い内はどんな安倍潰しも功を奏さない。が、逆に、一度ガタがくると、強かつた政権への蓄積された人事、利権、イデオロギー上の怨恨や反発、今まで敵へて出さなかつた地下情報、反安倍ネットワークが、全て一気に噴出し兼ねない。だから、保守派は、内閣支持率に自分の給料や子供の成績以上に一喜一憂し、我が事として苦しまねばならない、少なくとも次期総裁選を乗り切るまでは全く気が抜けない、私はさう思ふ。

結論初めにありきで大衆を煽動する知識人

消費増税、TPP交渉参加、最近では移民問題、根底にある新自由主義的と称される安倍政権の傾向性……。

確かに、これらは争点ではある。生産的な批判で政権を揉み続ける事は無論必要です。しかし、さういふ議論がどれ位あつたか。政権発足以来、率直に言つて、非難はあれども、批判なし、といふのが実態に近かつたのではないか。パターンはいつも同じです。All or nothing で、問題を亡国論に迄仕立て上げ、政権がそれを推進してゐると決めつけた上で、安倍は新自由主義者だ、裏切り者だ、亡国政権だ、とやつつける。それを映像ならば、身振り手振りで「皆さん、これ、トンデモナイ事が進んでゐるんです！」とやる。結論初めにありきで大衆を煽動（せんどう）する。古舘伊知郎氏とどう違ふのか。

繰り返しますが、政権を批判するなといふ意味ではありません。逆なのです。消費税もTPPも移民問題も、論客らがネット輿論を炎上させては、毎度、まともな政策論を殺してきた、それが問題だといふのです。最初に亡国の政策だと決めつけ、レッテルを貼り、極論を持ち出して頭ごなしに叩く。びつくりしたネット保守層が、そのレッテルに飛びついて拡散する。拡散されたレッテルが独り歩きする。その過程で生じるのは、保守層内の安倍氏への不信だけで、それで議論が深まる訳では全くない。

消費増税は、単体で賛否を言へる主題ではありません。人口減少、超高齢社会における社会保障と税の問題を解決するには、家族や社会のあり方の抜本的な見直しや、重税負担に耐へながら成長と子づくりに励むか、小さな政府に劇的に舵を切るか、といふ国民的に重大な決断が必要です。政治家はそんな息の長い議論はできない。専門家、論客こそが、さういふ文脈に論点を広げ、政治や輿論形成に青写真を提供すべきなのです。

TPPもそれがアメリカの収奪システムに乗るから亡国だといふのなら、安倍政権の交渉力は、今回、見事その収奪システムから国を守つたではないか。癌と闘病しながら猛攻に耐へた甘利大臣への心からの労ひが、TPP亡国論者の誰かからあつたのか、私は寡聞にして知らない。

一方、そもそも現在のグローバル経済そのものがナンセンスだといふ議論があるが、それは戦争が無意味だとか、軍備が無意味だといふのと同じで、議論そのものが無意味です。「戦争はナンセンスです。だから戦争に反対です」といふ福島瑞穂氏と、「グローバリズムは無意味です。だから乗つてはなりません」といふTPP亡国論者とどう違ふのか。ブログや雑誌論文や新書などで、幾ら世界システムの虚妄を指摘した所で、世界の現実は一ミリたりとも変りません。

知識人が立てるべき議論の方向は二つしかない。政治的な勝者になる為の政策提言か、現在の国際秩序を根本から改める壮大で緻密な新モデルの提示です。ところが、反自由貿易論者の議論は、政権を勝たせる論法も政策も提示せず、政策転換の理論提案もせず、声高な決めつけによつて政権を弱体化させてきただけだ。溜息が出る程、日下氏の言ふ優位戦思考の逆を行つてゐる。

そして、今度は移民問題だ。安倍政権が移民政策に前のめりだと言ふ。特に今回は、保守系の代表紙である『産経新聞』（平成二十六〈二〇一四〉年三月十四日付）が一報を報じた為、一気に警戒感が強まつた。

政府が、少子高齢化に伴って激減する労働力人口の穴埋め策として、移民の大量受け入れの本格的な検討に入った。内閣府は毎年20万人を受け入れることで、合計特殊出生率が人口を維持できる2・07に回復すれば、今後100年間は人口の大幅減を避けられると試算している。経済財政諮問会議の専門調査会を中心に議論を進め、年内に報告書をまとめる方針。

追ひ打ちを掛けるやうに、情報通とされる青山繁晴氏が、テレビ（平成二十六〈二〇一四〉年四月九日放送、関西テレビ「アンカー」）で、安倍首相の顔写真とオーバーラップするやうに「内閣府は激減する人口の穴埋めとして『毎年20万人の移民受け入れ』を計画」といふ大字幕を出して、こんな風に語つた。

「これ二月二十四日に、内閣府が、公表した計画ですから。インターネットを使って皆さんどなたでもすぐに見られますから見ていただきたいんですが、その表紙に何と書いてあるかというと『目指すべき日本の未来の姿について』と大タイトルが打ってあって、その第一項目が、これなんですよ。

来年からですよ、しかも。来年から毎年二〇万人の移民を、毎年毎年受け入れていって、九十五年ぐらいは、やりましょうって趣旨のことが書いてあって、そしてその内閣府の試算ないしは計画によるとですよ、このまま移民を受け入れないでいると、およそ百年後の二一一〇年ぐらいには、日本の人口が四千数百万人になってると」

が、内閣府の資料には移民受け入れの「計画」など書いてゐない。「来年からですよ」と氏は言ふが、移民を受け入れた場合の人口推移の試算起年が来年といふだけだ。幾ら何でもこれで「『毎年20万人の移民受け入れ』を計画」はないでせう。しかも安倍首相の顔写真とオーバーラップさせれば、視聴者の脳裏には移民二〇万人＝安倍首相といふ等式が独り歩きするに決まつてゐる。直後のテレビ番組で、安倍総理は、こんな政策を進めるつもりが全くない事を明言してゐた。かういふ時には急に陰謀論が好きになる保守派は、裏話を捏造（ねつぞう）したがる。そこで、私はある会合で総理の直話を聞いたが、移民受け入れ政策を進める事は一〇〇%あり得ないと断言されてゐた。が、例によつて独り歩きした非難は止まらなくなります。

「『女性の活用』の愚」よりも遥かに怖いもの

反日安倍政権の暴走もここに極まったようだ。人口を増やしたいなら、子育てをする専業主婦の控除枠を拡大し、「社会進出」を止めるべきではないか。

まあ、安倍の場合は確信犯でしょう。頭の悪い自称「保守」向けのパフォーマンスには長けているが、本人はもちろん保守ではない。

「これから日本の伝統的な社会を破壊します。街には移民が溢れ、治安は悪化します。教育は完全に崩壊します。でも、人材派遣会社をはじめとする私のお友達に便宜を図るためには仕方がないんです」とでも言えばまだ正直だが、国内では愛国者面（づら）をしているからタチが悪い。

（『週刊文春』平成二十六〈二〇一四〉年四月二十四日号「うかつにもほどがある『女性の活用』の愚」）


「今週のバカ」といふ連載の一節、「哲学者」適菜収氏のものだ。

「反日安倍政権の暴走」「頭の悪い自称『保守』」「私のお友達に便宜を図る」「愛国者面」──『日刊ゲンダイ』の記事でなければ、便所の落書きではありませんか。聞くところによると適菜氏はニーチェが好きだといふが、ニーチェの痛烈な「悪口」はそれ自体が藝術です。ニーチェもずゐぶんひどい弟子を持つてしまつたものだ。

知識人が守るべき「日本」は、政治家が守るべき「日本」とは違ひます。政治をどんなに批判しても構はないが、彼自身が文体の精錬を放棄し、知的な問ひに真面目に向き合ふ事を放棄したら、その時、彼にだけ守れる日本が、彼とその読者の精神の内部で、確実に瓦解する。そんな基本的な感覚を分ち持たない人達が物書きになり、編集者になり、大手を振つてのさばつてゐる。TPPよりも、移民二〇万人よりも、「女性の活用」の愚よりも、私には遥かにずつと深刻で怖い「日本」の根底的な毀損だ。

今回発表された内閣府の試算では、現状の出生率が続けば、日本人の人口は、百年後に四四〇〇万人になる。出生率を二・〇七に戻すと、百年後の人口は八五〇〇万人から九〇〇〇万人、それに年間二〇万人の移民受け入れを付け加へると、一億一〇〇〇万人前後、つまり現状維持に近くなるとされる。

つまり、本当に深刻な問題は、移民を入れるかどうか以前に、出生率の方なのです。百年後に日本の人口が四四〇〇万人以下になり、四〇%以上が老人となつてゐるといふ絶望的な悪夢に、どう対処すべきか。二・〇七に戻すどころか、今の出生率よりも下がる可能性の方が高いと私は見てゐる。出生率大幅低下の真の恐ろしさは、釣瓶（つるべ）落としのように事態が加速する事だ。出産できる女性の数が反比例的に激減するからです。しかも、約半数が老人といふ社会では出生率は更に下がるでせう。出生率の自然減少による人口激減は適正人口でストップが利（き）かなくなる。

逆に、出生率二・〇七を回復すれば、九〇〇〇万、移民を入れて一億一〇〇〇万。要するに移民なしでも二・〇七ならば人口は持ち直す。つまり、ここでの真の主題は移民受け入れではありません。日本は既に極端な人口減少社会に突入してゐる、一日放置すれば一日日本衰滅が加速する、そちらこそが主題なのです。

内閣府が移民政策へと誘導しようとしてゐるのが本当なら、それを報じ、問題点を詳（つまび）らかにするのは無論ジャーナリズムや論壇の重要な仕事です。特に外国人労働者は中国人を中心に野放し状態だ。これをどう管理し、日本人の労働市場と調節するかを鋭く政府に問ひ糺（ただ）し、対案を提出する事は緊急の課題だ。が、遥かに重大なのが人口問題なのは間違ひない。

フェミニズムが希求した悪夢は現実化しつつある

勿論、極めてシンプルな問題とも言へる。国民みんなが子供をたくさん産めば解決するからです。しかし今の日本社会の空気感、特に大都市圏の生活空間のありやうからは、出生率二・〇を超えるのは、通常の政策レベルの対応では不可能でせう。感覚的には、国民のほぼ全員が二十代前半で結婚して三人は子供が欲しいと考へ、それが当り前な社会に戻らないと無理だ。適菜氏の言ふやうに「子育てをする専業主婦の控除枠を拡大し」たり、女性の「社会進出」を止めるべきだといふのは、取りあへず間違ひではない。が、そんな通り一遍の御題目ではどうしようもない所まで日本は来てしまつてゐるのです。

松田茂樹氏は、その優れた包括的研究『少子化論』(勁草書房)の中で、日本の少子化の主原因として、第一に、若年層の雇用劣化による晩婚、非婚化を、第二に、結婚した場合でも、生涯育児費が高過ぎ、希望人数までの出産に至らない事を挙げてゐる。興味深いのは、日本人の尊重する価値観では、近年の調査程、家族が突出して目立つてきてをり、育児時の基本的な家族モデルは夫が働き、妻が育児といふ古典的なパターンのままだといふ事です。

では日本の少子化対策で何が問題だつたか。少子化の原因を女性の社会進出によるものと前提して、仕事と育児の両立環境を整へる事のみに重点を置いてきた事だと氏は言ふ。

適切な指摘だ。しかし、これは単純な政策転換で済む問題ではない。

戦後、日本の男性は戦争で戦ひ、死ぬといふ「男の特権」を奪はれました。家父長の尊厳も積極的に奪はれた。高度成長期には、しかしまだ男が成長を支へる存在だつた。が、高度成長が終はり、精神的な去勢教育を受けた戦後世代が社会の中心になり、同時に共産圏崩壊と共に、マルキストが大挙してフェミニズムの実現に専心する時代が到来する。階級なき社会の次の夢は、性差なき社会といふ訳だ。よほど悪夢の好きな連中らしい。が、この悪夢は間違ひなく、現実のものとなりつつある。

資本家は金を持ち、金のあるところには最終的に権力も集まる。革命の夢は資本主義の成熟と共に消えます。本当に強い存在を倒しきれる力はこの世にあり得ない。が、男は資本家のやうに強くありません。元々、オスはメスに比して、生物学的に圧倒的に劣勢だ。生物の世界では、メスは子供を孕(はら)むといふ肉体的な過酷さに耐へた上、寿命でオスを大幅に上回ります。Homo sapiensも例外ではない。人類に於ける男女の社会的性差の多くは、生物学的に劣等な男を守りながら、種全体の存続を図る本能的な智慧(ちえ)だつたのだらうと、私は思ふ。

女性性の核心は母性です。では男性性の核心は何か、自尊心だ。ここをやつつけられると、男は萎(な)える、萎えきる。その結果、生殖欲など失(う)せる。発情期のある他の動物にとつて性欲は本能だが、人間の場合は違ふ。多分に心理的なものだ。心理的に萎えた男は発情しない。女を抱くといふのは、心身ともに大労働だからです。

フェミニズムの不用意な政策化は、実は、ここをぶち壊す。知識人や政策エリートはそれに気づかないが、近年の輿論調査が年を追ふ毎に家族志向を強めてゐるのは、一般の日本人の本能がそれを機敏に察知してゐる為ではないか。

だから単なる伝統回帰や守旧的な発想といふよりも、人間の自然な生理に戻るといふ意味で、伝統社会が、従来、男性性や母性をどう守つてきたか、逆に、さういふ価値の源泉だつた地縁、家族、庶民の信仰習俗といふ、私的な共同体を、今の日本社会がどう破壊してしまつたかを丁寧に検討し、それに基づいて社会意識の大胆な転換を図らない限り、人口激減社会からの脱却は難しいのではないか。

終はりなき「近代」の嵐の中で、どこで線を引くか

さて、議論がここまできた時、やうやく、保守派の一部がしきりに難ずる安倍政権の新自由主義的傾向、つまり進歩主義の新たな偽装とも見えるaggressiveな社会観の問題をどうとらへるかといふ問ひが出現します。安倍氏は、歴史認識や外交、安全保障では保守だが、社会政策や経済政策はさうではないといふ観方が保守派に根強くある。一方、安倍氏には、恐らく、日本の活力の毀損は、保守派が考へてゐるより遥かに深く、最早aggressiveになる事を通じてしか日本を保守できないといふ直観があるやうに見える。

国柄を守り続けるのは容易な事ではありません。巨大な改造、発展意欲は、近代文明の本質だからです。近代とはバランス不能な程揺れ続ける創造と破壊の衝動だと定義してもいいでせう。これを撓めるのが保守だが、今日益々国の内外で吹き荒れる終はりなき「近代」の嵐の中で、国力と国威を伸長させながら、どこで線を引いて日本の美風を守るのか、これは極めて難しい。

冷戦の後、日本では、保守派の大きな油断の中、戦後レジームに加へ、新たな危機としての家族や国家解体が、もう四半世紀進行してきた。安倍氏は、若き日、夫婦別姓法案阻止に全力を尽くし、自民党が憲法改正の旗を降ろして、リベラル左翼政党化しさうになつてゐた時に、故中川昭一氏、衛藤晟一氏らと孤軍奮闘して、自民の左傾化を食ひ止めてきた政治家だ。その

安倍氏が、今総理として直面してゐるのは、この四半世紀の持つ致命的な重みではないか。

霞が関や自民党、財界、更に労組や地方公共団体を通じて、過激なリベラリズム、フェミニズム、グローバリズムが蔓延する一方、保守派は、組織も人脈も金も手薄、理論の蓄積も政策立案能力も乏しい。どんな筋金入りの保守政治家でも、残念ながら総論だけしか持たない今の保守派を杖（つえ）に日本の再生シナリオを実現する事はできないでせう。

安倍氏は優位戦思考で、勝ち取れる分野は確実に勝つてくれてゐる。

しかし、政局といふ「足元」では、支持率だけが唯一の頼みの綱といふ脆弱性を抱へてもゐる。

その上、日本の国柄の保守に関して、保守派は政権に武器供与をする準備が極端にできてゐない。

我々が何をすべきかは、自（おの）づから明らかではないでせうか。

第一章

保守は安倍首相に甘えてゐないか

靖国・消費税・TPPで問はれる保守の原点

（『正論』平成二十五〈二〇一三〉年十二月号掲載論文を改稿）

首相官邸フェイスブックに罵詈雑言を投げつける神経

デフレなんだから減税しろよ馬鹿が！　通貨発行権を無視してマクロ経済を語るな馬鹿が！

衆院選の時に「デフレのうちは消費税を上げない」と訴えていましたが、ここまであからさまなウソ、裏切りは久しぶりに目の当たりにしました。

アベノミクスの功罪は、功は金持ち優遇措置、罪は弱者切り捨て。消費税増税で年金カット。あなたは弱者に死ねと言っています。流石は戦犯疑いのお孫さんです！

デフレ下での増税↓します。聖域なき関税撤廃交渉↓参加します。靖国神社を参拝して英霊に感謝を↓しません。結局、最初から決めていたことなんですよねえ。

デフレ下の消費増税は公約違反。デフレと景気低迷の「深い谷」へ逆戻り。なぜわかってるのに、なぜ増税を決定するのですか！　期待したのが馬鹿みたいです。

増税を決めたことで安倍さんの事、積極的支持から消去法での支持に変わりました。靖国の秋の例大祭に行かなければもう支持はしません。倒閣運動に移ります。

「経済の再生と財政健全化」というなら、アベノミクスで日本経済が順調に成長して国民の所得が増えればいいだけ。


平成二十五（二〇一三）十月一日、消費税率三%アップ会見後の、安倍首相、首相官邸のフェイスブックへの書き込みの一部です。驚くべき事に、一〇〇〇件を超える書き込みの殆（ほとん）どがこの調子でした。

つい二十日前には、東京五輪招致を決めた安倍首相に対して、フェイスブックは、感謝と感動と賛辞で埋め尽くされてゐた。同じ人が、感動を書き記した二十日後に、このやうな罵詈雑言を浴びせたかどうかは知らない。しかし、いづれにせよ、フェイスブックで安倍首相に接触する人の多くは、保守層であり、安倍氏の支持層である筈だ。中には、反日活動を煽動する工作員も交じつてゐるやうだが、かうした書き込みの大半は無論さうした人ではあるまい。

この口汚さのどこが愛国者であり、保守でせう。こんなのは、政治的主張以前の問題だ。一国の首相にかういふ言葉遣ひで物を言ふ。この感覚は一体何なのか。更に、安倍首相が、この九カ月に成し遂げた事の数々を振り返れば、この敬意のなさはどういふ神経なのか。

アベノミクスはもう終はり——だが、そもそも低迷する株価を短期に倍近くに押し上げ維持したのは安倍首相の力だ。この人たちの仰(おお)せに従つて、嘘つきで経済音痴の安倍首相が消えてなくなり、海江田万里総理大臣にでもなれば、株価は元の木阿弥(もくあみ)、消費増税どころの騒ぎではなくなる。いや海江田氏でなくとも、自民党の他の人が総理になつても、到底この株価、国際信認は維持されまい。さういふ「政権力」の経済効果を分かつて言つてゐるのか。

熱心な保守活動をしてゐる若い女性が、先日私のところに訪ねてきた。消費税を巡つて過熱する一方のネット上の騒動、特にそれまで安倍総理支持者だつた人達が手のひらを返したやうに、安倍バッシングに走つたのを見て、保守とは何なのか、軸足をどこに置けばいいのか分からなくなつたといふのです。彼女の周囲には、いはば、さういふ保守難民がたくさんゐるといふ。

また、別の私の友人A氏は日本を代表する自動車会社のシンガポール支社に勤めてゐる。彼はフェイスブックで、現地のメディア情報を織り交ぜながら、一所懸命保守の理念を発信してゐた。しかし、今回の消費税率アップを巡る自称保守の人々の書き込みの数々を見て、心底うんざりし、こんな言葉を残して発信を止めてしまひました。

それにしても、日本人は、どこまで言葉遣いが、悪くなったのかなと思う。
どんな思いで書き込みをしているのかなと思うんです。
眺めるのがしんどくなってきたな。

正鵠（せいこく）を射てゐる。最初に、私の本音を吐いてしまはう。間接税たかが三%増如きで国は亡びない。が、保守を自称する人たちが、「日本人は、どこまで言葉遣いが悪くなつたのか」と、心ある人をして嘆かせるやうな国は亡びます。日本は、古来、戦争も貧乏も重税も経験してきたが、ちゃんと持続してゐる。敢（あ）へて万言を約（つづ）めて一言にすれば、記紀万葉以来「言葉」を非常に大切にしてきたからだ。守るべき価値、戻るべき日本人である根拠の中心にいつも「国語」があつた。「保守」を自称する人々が、さうした戻るべき、日本人らしさの中心をこそ守らうとしないならば、たとひ消費増税を回避し、その為にデフレ脱却がより順調に進み、税収が増えたからと云つて、だから何だといふのか。

デフレ脱却がそんなに有り難いか、税収増がそんなに貴重か、口汚い「保守」の蔓延（まんえん）する日本である位なら、経済成長など犬に食はれて、国まるごと亡んでしまへ――私なら、まづさう思ふ、さう思ふ心性が「保守」でなくて、一体何を「保守」しようと言ふのでせう。

実は、私自身は、フェイスブックを中心としたネット上の、消費増税反対の過激な動きを、九月下旬まで知りませんでした。そもそも、消費増税は、安倍政権の力強い政権運営下であれば、日本を覆ふ危機全般の中で、国家の命運を賭けた大問題とは思つてゐなかつたからです。

笑つて済まされないネット上の狂態

日本の「国家百年の計」とは何か。そして、その百年の計を立てるのを妨げる日本の真の危機、どうしても待つたなしの危機がある筈だが、それは何か――私は、前著『国家の命運』上梓の後、ひたすらその問ひのみを自らに問ひかけ続けてゐた。

例へば、恐れ多い事ながら、皇室の問題がある。内部で進行してゐる闇と煩悶は深いやに伝へ聞く。男系・女系も保守が内ゲバをしてゐてよい時期はとつくに過ぎてゐる。

そして又、日本がスパイ天国だといふ事の、仰天するやうな事例の山、山、山がある。「情報活動」は明らかに、現代国際政治に於ける「別の手段による戦争」です。それが「戦争」だといふ明確な自覚もないまま、我が国は一見平和に見える裏で、実は長年に渡り「戦場」として周到に手を回され、見えざる事態が進行してゐる。

そして、勿論、戦後レジーム＝反日本、反国家的イデオロギーが、霞が関、学界、教育界、マスコミ出版界のエリートたちの神髄を犯しきつてゐる。先日の、最高裁婚外子判決などは、無数に進行するさうした事態の氷山の一角に過ぎまい。日本の権力中枢に重層的にパッケージされた国家解体的イデオロギー――この悪夢は日本の歴史上かつてなかつたものだ。

さうした事情の下で、日米安保条約に依存しながら、依存そのものの「価値」の重みも理解しなければ、逆にそれを「屈辱」だとも感じない、国防に関して完全に無感覚な国民感情の中、安倍首相は、アメリカと中国のパワーバランスの劇的な変化に対処しなければならない。近年、毎年一〇％づつ軍事費を増額してゐる中国は、日本を明らかに最大の仮想敵国、侵略対象としてゐる。それに対して今回安倍政権が漸く増額を決めるまで、十年以上防衛費を減額してきたのが我が国です。Balance of power の常識から考へれば正気の沙汰ではない。消費増税で口を極めて安倍首相を罵つた自称保守が何十万人ゐるか知らないが、防衛費の増額が少なすぎる、一体何をしてゐるのかと、連日連夜、安倍首相に警鐘乱打する保守がゐないのは、これ又どうした事なのでせう。

更には、理念の上での日本喪失をどう食ひ止めるかといふ事も難題だ。靖国参拝、歴史認識問題のやうな、日本の尊厳に関はる問題ですが、これらは、近年の中国・韓国の大々的な国際プロパガンダと日本の不作為により、のつぴきならない「国際問題」となるに至つた。

そして又、安倍首相以後の真の愛国保守の政治リーダーの不在。議会制民主主義が機能しなくなるのではないかといふ程、小選挙区で痛めつけられてしまつた議員の質。上記の全てをつくりだしてきた「戦後レジーム」の再生産装置となつてゐる日本の教育も、どこから手を付けるのが、将来への国力回復の最善の道なのか……。

私はこの所からいふ事に頭を悩ませてゐて、消費増税を巡る動きは殆ど知らなかつた。そこに、人伝てに「ネット保守層が安倍総理の消費税判断を巡つて大騒ぎを引き起こしてゐる」と聞き、ネット上の動きを見て、仰天しました。冒頭ご紹介したやうな調子の書き込みでフェイスブック上が溢れ返つてゐたからです。

言はれてゐる事は、要するにこの数年のリフレ派経済論客の主張を、単純化・極論化したものに他ならない。デフレ下における消費増税は景気の腰折れを招く。従つてこの判断で、折角順調だつたアベノミクスは必ず挫折する。日本は再び沈む、もう終はりだ——。そして、ネットを少し広く覗いてみると、さういふ動きを仕組んでゐるのが財務省の木下康司財務次官であるといふ陰謀論が、物凄い勢ひで拡散してゐる。

マクロ経済的な判断に異を唱へるつもりはないが、それにも拘らず、ネット上でのこの単純化された議論の絶対化、騒擾化、陰謀論への余りに安易な乗つかりやう——その全てが、私には根本的に倒錯し、とち狂つてゐるとしか思へない。

本来安倍支持だつた「保守層」のこの姿は、安倍氏による、本当に日本を取り戻す為の長い戦ひが始まつたばかりである事を思ふと、ネット上の一時の狂態と笑つて済ませるわけには到底ゆきません。

今は「野党言論」を展開する時ではない

元より、消費税に限らず、専門家や言論人が、賛成、反対、双方の立場で議論を丁寧に、理性的に交(か)はす事は当然必要だ。だが、今、日本は待望の保守政権である安倍政権下にある。保守論壇は、民間の立場とはいへ、いはば自らも政権与党側にゐるのです。政権力を低下させる事を最大目的とする野党の発想ではなく、安倍政権が、現実に可能な政策判断を狙ひ、安倍政権を少しづつ理想的な政権選択へと導き、政権強化となる論じ方、運動方針を採るべきでせう。

勿論、言論人は、与党の政策づくりの代理人でもなければ、政権に阿(おもね)つて持論を曲げるべきでないのは、言ふまでもない。政権が判断を間違つたと思へば、正論を堂々と問ふといふのはもつともな話だ。

だが、さうであるならば、自らの言論の限界と節度もまた問はれねばならない。第一に、我々は今、野党ではないのだから、一点突破の攻撃型ではなく、どんな論題であれ、様々な見地から丁寧な批判的検討がなされなければなりません。我々と思想信条の近い首相を戴(いただ)くといふのは、——第一次安倍政権を除けば——佐藤栄作首相以来四十年ぶりなのです。しかも後がゐない。本当に、前後が断崖絶壁の中での奇跡なのだ。論争や批判は結構だが、政権の足元でこれを動揺させるのと、意を尽くした議論で、徐々に政権の歩みを保守の王道に向けて正してゆかうとするのは、全く別の事だ。安倍政権といふ日本の起死回生の大チャンスの意味を嚙(か)みしめて、国家全体の骨格を示す議論、日本の国力を総合的且つ最大限に強くしてゆく論理を組み立てねばならない。

第二に、言論と政治はあくまで次元が違ふ。言論は筋道を立てるのを本義とするが、政治とは、人間たちの生々しい権力・利害を巡る駆引きであり、政策決定上の無数のファクターのぶつかり合ひであり、その調整です。言論で通用する事が、政治で通用する訳にはゆかない。経済理論を研ぎ澄ます事は大切だが、それはたとひ優れた理論であつても、経済政策の根拠の一部にしかなり得ない。政治が自説を採用しないと、突然敵に回つたやうな言動をし始めるやうな幼児性は、説の説得力がある場合程、国を誤る。言論人や理論家には、少なくとも、さうした言論の限界に関する謙虚さと節度が必要だと私は思ふ。

最近の論客に、さうした幅広く論じる地道な姿勢や、謙虚さや節度が失はれてゐる事が、今回のネット保守の暴走に繋がつてゐるのではないでせうか。

今回の増税と橋本政権時の増税は状況が違ふ

例へば、アベノミクス効果の税収増がこれから来るのに、何故、今のタイミングで増税するか、景気の腰折れを招くのではないかといふ議論は確かに尤もです。私もその点には当然、危惧は抱いてゐる。しかし、大抵の議論が、最大の論拠として出すのが橋本龍太郎政権の前例だとなると、少し首を傾げないわけにゆかなくなる。特に、それらの議論が、最近、間違つた増税をした為に自殺者が大幅に増えたといふ点をひどく強調してゐるのには、強い疑念を覚える。

まづ、橋本首相が、消費増税と緊縮財政を組み合はせてしまつた事。これは橋本氏自身が後に国民に向けて謝罪してゐる通り、政策判断の誤りでせう。しかし、増税実施の平成九（一九九七）年四月一日の後、七月にアジア通貨危機が始まり、十一月には、三洋証券、山一證券が倒産、北海道拓殖銀行、徳陽シティ銀行が破綻し、翌年には長期信用銀行も破綻する。さうした経済全体の極端な失速を充分に構造化して論じずに、消費増税＝自殺急増といふ図式を流布するのは、余りにも野党的な発想によるプロパガンダと言ふべきです。

消費増税翌年の自殺者は、実際二万四三九一人から三万二八六三人に急増した。その内訳を見ると、健康問題での死者、これが元々自殺原因では常に断然大きいのですが、それが一万三六五九人から一万六七六九人に約三〇〇〇人増加。そして経済・生活問題の自殺が三五五六人から六〇六八人に大幅に増加して、全体の自殺者数を押し上げてゐる。経済苦の急増と健康問題とは無縁ではあり得ないから、自殺急増は明らかに経済が主因だと、私も思ふ。だが、それは先に挙げた経済危機の複合的な結果ではないのか。

私は、自殺と消費増税を無関係だと言ひたいのではない。さうではなくて、これは重要な問題だから、本当に因果関係があるならば、どのやうな形で誰を圧迫してこんなに自殺者が増えたかを、もつと丁寧に議論して欲しいのです。あるいは、さうした研究が既にあるなら世にきちんと紹介して欲しいのです。この後、健康問題の自殺は緩やかに減少しますが、経済的原因による自殺は、平成十五（二〇〇三）年まで六年連続で増え続けます。それは何故だつたのか。

更に言ふと、平成十六（二〇〇四）年からは、逆に経済苦による自殺者は眼に見えて減少してゆく。小泉政権中期以降の事です。すると、今の保守論客に評判の悪い新自由主義、アメリカのポチ政策も満更でなかつたといふ事でせうか。更に言へば、デフレが膠着（こうちゃく）し、失政続きの民主党時代も経済的理由の自殺は漸減し続けてきた。デフレもあの大失政も自殺の増加には繋がつてゐない、これはどういふ事なのでせう。

まあ、これは一例に過ぎないが、他のファクターを本当に丁寧に洗つてゆけば、今回の安倍政権下の増税は、橋本政権時とは、経済の数値以外の社会条件の点でも、また、橋本政権の失敗を踏まへた対策が立てられる点でも、非常に違ふ状況での増税ではないか。景気の腰折れ、デフレ脱却の失敗を防ぐ事が全くお手上げなほど、今回の増税ダメージは大きいと言へるのでせうか。例へば、増税の直前に決まつた、東京五輪特需を、最大限引き出す事はできないものなのか。

更に言へば、今回の増税タイミングがそんなに悪いのか、逆に、どこまで先延ばしにすれば、ベストのタイミングが来るのかも、大きな疑問となる。

といふのも、増税のタイミングは、政治的要素も勘案すべき重大なファクターだからです。私は安倍政権維持が、現在日本の最大国力だと考へますから――その点の不同意があれば是非現実に可能な別の首相名を挙げて反論頂きたいものです――安倍政権をできるだけ強力な長期政権として維持したいといふ「下心」から常に物を見ます。増税導入は政権にダメージを与へます。できれば避けたい。消費税＝間接税導入は、大平元首相を殺し、竹下政権を潰した。その位、増税は政権にとつて怖い。

しかし、安倍氏が長期政権を狙ふならば、自分の政権時代のいつかには増税に踏み切るほかない。今、アベノミクスはまだ鮮度が落ちてゐない。論者らが言ふやうに、アベノミクス効果が持続してデフレ脱却まできれいに成長すればいいが、経済成長は民間の力によつてしか本当には軌道に乗らない。アベノミクスは、経済心理に好影響を与へるイメージ戦略的な側面が強い、さうである以上、その政策効果は最初にドカンと来て、後は現実の日本の体力に応じて落ち着くと、控へ目に見積もるのが、政権担当者に求められる理性的判断といふものでせう。

支持率も今ならば、まだ六五％ある。驚異的な数字だ。増税ダメージを吸収して、支持率を維持できるほど信頼が厚い状態と言へる。更に、この支持率は対外的な日本の国力でもある。政治家にとつて万国共通の鬼門である増税に踏み切つて且つ高支持率を維持できれば、それ自体が安倍政権＝日本の強さの象徴となる。どんなに立派な政策も政権も、長く続けば飽きられます。あの小泉政権の支持率でさへ、十カ月目には四〇％台だつた。安倍政権はまだ旬が続いてゐる。だから、強い時に辛い政策を決断してしまふ。政権が強い状態での増税ならば、景気への悪影響も最小限に抑へられる。死に体内閣で増税の決断に追ひこまれるのと、世界で受けてゐて景気のいい政権が増税するのでは、明らかに国民経済の士気が違ふし、あらゆる貿易や国際交渉が有利な中で、増税ダメージを抑へる政策手段は当然増える。

消費税三％引き上げの理由の一つとして安倍首相が挙げたのが、国際公約、国際信認でした。

増税と国際信認を結びつけるのはをかしいといふ人が多い。だが、日本の国力は、圧倒的な経済力と、世界を食ひ物にしない国民性や国のあり方への信用力でせう。それを元手に世界と駆引きをしてきた。その信用力を最大効果で活用しようといふのが、安倍政治の基本だと思ふ。自前の諜報と安全保障がないといふ極端な不利を、経済ネットワークでの重要なプレイヤーになる事でカヴァーする。俗な言ひ方をすれば、首相が外にいい顔をする事が、国力の保持になる。

　そもそも、国際的なネットワークやグローバリズムへの反感が、今の保守には大変強い。幕末で言へば攘夷だ。しかし、結局、日本が幕末を生き延びられたのは攘夷の情念を超克して、尊王開国を決断したからです。これから大騒ぎになりさうなＴＰＰでもさうなのですが、どうも今の保守派の議論は、攘夷を更に小さくした、旧来の自民党的保護主義に、根性が似てゐる。

　グローバリズムとはアメリカナイゼーションであり日本収奪だと言ふ。だが、日米同盟による日本側の防衛費や人的心理的負担の巨大な軽減の中で、収奪だと喚くのは身勝手が過ぎよう。どうにも議論が女々しい。そんなにアメリカによる日本圧迫が嫌ならば、自主防衛で強靭な国家を選択する以外に道はない。そもそも幕末から昭和戦前に日本人が晒された帝国主義競争の残酷苛烈な様に較べれば、今日の外圧としてのアメリカの圧力など何ほどのものだらう。

　国の内実を本当に強靭にする建設的な議論を猛烈に組み立て、その実現に向けて馬車馬のやうに輿論喚起し、国を挙げて益荒男ぶりを取り返さうとするより、外に向かつて排外主義を呼号する今の保守の女臭さが、私にはどうにも理解できない。国力回復を期して世界中を飛び回つてゐる安倍氏の失策を責めたてる神経が理解できない。拳を挙げる相手を間違つてはゐないか。属国根性のまま喚いてゐる自分の頰桁(ほおげた)をまづぶん殴れ。自分で自分の情けなさをぶん殴り抜き、血みどろになつてから人に向かつて激語を吐け。私はさう言ひたい。

国民精神の堕落を問題視しない税収論議の不毛

さて、以上――脱線もあつたが――増税に関する条件を、敢へて経済理論と違ふ観点で、少し調べてみた訳ですが、消費税に関しては、税の制度設計の問題が、その根つこにあるわけです。少なくとも、増税が近い将来に必要である事では、皆、議論は一致してゐる。そもそも、消費税の税率アップは、一時的な税収増ではなく、福祉の恒久財源を目的としてゐる。また消費税が不要と言ふなら、他の税収で本当に社会保障や安全保障を安定的に賄(まかな)へるのか、又、より優れた税制があるのかといふ議論に直ちに結論を出さねばならない。社会保障費だけでも、これから先、年額一兆円づつ二十年以上増加し続ける。更に国防や諜報の予算は、可能な限り増額のペースを早めてもらはねばならない。

ところが、過去二十年、デフレの進行以上にＧＤＰ比の税収減は進んでゐます。一般会計税収が過去最高だつたのは平成二（一九九〇）年の六〇兆円だが、その時のＧＤＰは現在より三〇兆円も低い四三〇兆円に過ぎない。それで税収は今より一七兆円多い。所得税、法人税の税率を国際水準まで下げ、更に、無数の政策減税を重ねた結果だ。これが日本のこの二十年の政治だ。要するに、税の哲学そのものがない。国の建設・維持の為の名誉ある税負担といふエートスがない。その国民精神の堕落を先に問題にせずに、税負担軽減ばかり主張しても仕方ないのではないでせうか。

それからもう一つ、大変重要な事を指摘せねばならない。

デフレマインドについてです。今の日本、特に大都市圏は未曽有(みぞう)の富裕な、完成度の高い、超高度インフラ社会です。一方、国民の懐(ふところ)はデフレで縮小し続けた。特に若い世代は成長経済も、頑張れば今よりいい生活ができる、あの感覚も全くないと云つていい。

かつての日本は、皆が頑張り、頑張つた分が、所得に反映した。人より余計に頑張ると人よりもいい暮らしができ、うんと余計に頑張れば富裕層に入るチャンスが幾らでもあつた。官僚や会社員の給料が上がり続けた以上に、宅急便やタクシーの運転手のやうなブルーカラーの方が、その気で頑張れば月収一〇〇万円以上稼げ、独立起業できたやうな時代だつた。

社会インフラはいま一つだが、働いた分だけ即見返りがある社会だつた往時の日本と、完備されたインフラの中で、頑張つても応分の報いのない今の日本。後者の中で、ど根性で豊かにならうと思ふ若者はどんどん減つてゐる。街に出れば、銀座でも横浜ランドマークタワーでもお台場でも、その超豪華な光景と設備は全てタダで我が物です。歩くだけで富裕層の気分が味はへる。実家に戻れば親が買つた高級車や高級ブランド品がある。そして自分が日常的に出入りする飲食店では一〇〇円出せばそこそこのコーヒーが飲め、三〇〇〇円で世界基準では目玉の飛び出る程うまい牛丼が食へる。

人よりちよつと頑張つた位では、この現状から富裕層側に移るのは不可能です。そこそこの幸せなら、頑張らずとも、横並びで今既に手にしてゐる。この微睡みを生んだのが高度成長の果てのデフレ社会だとすれば、ここから再び成長日本へと転じる心性を取り戻すのは容易ではあるまい。

実際、今回、消費増税反対を叫び、気の早すぎる日本の終はりを呪詛した人たちの中に、日本の成長を自ら押し上げようとする強い成長願望の持主がどれ程ゐたのでせうか……。

*

これから安倍首相の本当に気の長い「日本を取り戻す」戦ひが始まるといふ時に、やれ靖国参拝しない安倍は駄目だ、ＴＰＰで嘘をついた、増税後の冷え込みがやはり来た……こんな具合に、その都度「保守」が消耗してゐては仕方がない。今、安倍首相は、保守層が喜ぶやうな意味で、日本を取り戻す戦ひは、慎重に水面下で少しづつ進めてゐる、さうせざるを得ない国情なのだと想像位できないのか。

アメリカとの関係は現実にずぶずぶで来て今に至つてゐるのだし、隣の中国は、尖閣一つをとつても五十年掛かりで、実効支配に向けてじりじり迫つてきてゐるのです。それを、待望の保守政権ができてたつた十カ月で、安倍はひよつただの、新自由主義者に過ぎなかつたなどと足元で騒ぐなど、敵の思ふ壺もいいところだ。

　安倍氏は覚悟して長い戦ひに入りました。我々は、その長い戦ひを見守り、民間で本当にできる「日本を取り戻す」戦ひは何かを考へねばならない。例へば私は、中小企業、地方、農業の三つの関連する主題の回復への道筋を付ける仕事が必要だと考へ、少しづつ着手してゐます。安倍氏を新自由主義者などと攻撃するより、少しでも現政権にあつて手薄だつたり、疑問視せざるを得ない点を民間で足し増し、建設的な政策提案をするはうがよほど日本の国力になると、考へてゐるからです。


〈補記〉

締切間際になり、安倍首相が靖国神社秋の例大祭参拝を見送つた事に、一部保守層が疑念と抗議の声を上げてゐるといふので、敵へて補記します。安倍総理は、この度も「前政権時、靖国神社に総理として参拝しなかつたことは痛恨の極みだ」と発言されてゐる。今回は必ず行くといふ意味以外の何物でもない。黙つて任せてゐればいいではないか。

　そもそも靖国参拝を安倍氏の踏絵のやうに扱ふ――根本的に心の態度が間違つてゐると私は思ふ。

　安倍首相からの真榊の奉納を見た私のフェイスブック上の友人の感想を紹介しておきます。「安倍総理が真榊を奉納された、そのニュースをテレビ映像で見ていてふと『総理のお身体は今参拝されていないけれど、心はすでに真榊とともに参拝されているんだなあ』と感じました。あの真榊そのものが、私達へのメッセージのように感じられたのです。きっと、一番良い時期を選び、お身体も参拝されるはず……」

また、この秋の例大祭に自ら足を運んだ別の女性は次のやうに書いてきてくれた。

「本当に、安倍総理からの真榊を見かけ、心が震えました。来てるじゃん、気持ち、此処に。と」

大体、総理の靖国参拝が、日本の保守が一喜一憂して政権を揺さぶるやうなセレモニーになつたら、それこそ中国の思ふ壺だといふ事は、子供でも分かる話ではないか。

靖国が中曽根氏の大失政で外交カードになつて、もう三十年になる。小泉元首相は任期中に参拝を続けたが、その時、中国の国力は今より遥かに低く、ブッシュ大統領は小泉氏にも靖国にも共感を持つてゐた。今、中国の国力は、軍事、外交、情報を中心に日本を抜き、アメリカは親中派だらけだ。だから何だといふのか、安倍に信念があれば堂々と参拝するのみと保守は云ふ。さうぢやない、以上の事態が「怖い」と言ふ日本の政治家、霞が関の自己呪縛を解かねば、安定的に総理の参拝は実現されやうがないのです。

だから、我々は第一に、国民全体に靖国神社の意義を浸透させ、また総理の参拝を国民が強く望む気風を醸成し、総理の後押しをせねばならない。第二に、政権中枢で靖国参拝に躊躇する怯懦（きょうだ）な空気感を吹き払はねばならない。第三に、白人知識社会での反日ロビーを逆転せねばならない。戦後レジームは世界中で張られた網だ。保守派は安倍氏への注文屋ではなく、長期戦を戦ふ真の戦友でなければならない、気づいて欲しい。

保守反米論に潜む「甘えの構造」

（『正論』平成二十六〈二〇一四〉年一月号掲載論文を改稿）

そう、もう何年も前のことになりますがね。わたしは愛し合っている二人を一緒にした——一人を殺人の咎（とが）で逮捕させるという単純な方法によって！　それ以外の方法では成就しなかったでしょう！　死のまったただなかで、わたしたちは生きているんですよ、ヘイスティングズ……殺人はね、わたしがたびたび気づいたところによれば、縁結びには最適なんです。

by Agatha Christie "The ABC Murders"

「失はれた二十年」の原因は新自由主義なのか

私たちが、死の真つただ中で生きてゐるやうに、国家も又、軍事、経済、情報、人と人との行き交ひの地球といふ戦場の真つただ中で生きてゐる。その中では例へば、新自由主義と呼ばれてゐる、各国の文化や生活コードの殺人者と、どう最適の縁結びをするかが政治に問はれる。我々は「死」を拒絶しては生きてゆけない。死は生の一部であるどころか、時に、生にとつて最も刺激的で適切な薬味でさへある。この殺人者を頭ごなしに否定しては、世界といふ戦場で何一つ達成する事も、自己を保持する事もできない。顔を真つ赤にして殺人を否定するのは、お人好しのヘイスティングズでなければ、頑強な保守原理主義者だけでせう。どちらにも共通項がある、人間音痴であるといふ……。

中野氏は、国家ヴィジョンを出す意欲と能力を合はせ持つ、現在の日本で稀有な若手論客だ。『ＷｉＬＬ』平成二十五（二〇一三）年十二月号を見てゐたら、中野剛志氏が「新自由主義という妖怪」といふ論文を寄稿してをられる。

特に、近著『日本防衛論』（角川ＳＳＣ新書）において、今まで日本の保守論客がなし得なかつた総合的な国家防衛に関する試論に正面から挑戦してゐる。それだけに私は注目してきたし、今も期待してゐます。

しかし時務論になると、どうもいけない。スローガンを繰り返す事で読者を結論に誘導しようとする。レッテルを貼つて、自説に都合の良い材料のみを並べて煽る。氏をヘイスティングズと言ふつもりはない。ずつと狡猾です。だが、根本的に氏は「死のまつただなかで、わたしたちは生きている」事をどうしても見ようとしない一点でヘイスティングズに近づく。

リーマン・ショックが起きると、日本経済は金融機関へのダメージが小さかつたにもかかわらず、先進国のなかでも突出して落ち込んだ。

> 結局、新自由主義がもたらしたものは、低成長と異常な格差の拡大、そして資本主義の不安定化であった。日本の「失われた二十年」も、新自由主義的な構造改革が原因である。新自由主義が完全な失敗に終わったことは、もはや明らかであろう。（「新自由主義という妖怪」）

リーマン・ショックのダメージの吸収に日本が失敗したのは、新自由主義とは何の関係もない。当時の民主党政権の統治能力が世界に信用されてをらず、しかも金融緩和が全く不十分だつたからだ。新自由主義が、自由貿易の極端な原理化である以上、それをそのまま政策にすれば、確かに資本主義の不安定化を齎し、格差を齎す。アメリカが主導した世界のこの二十年程をさう概括するのは正しい。だが「日本の『失はれた二十年』も、新自由主義的な構造改革が原因である」と決めつけてしまへば、「失はれた二十年」のそれ以外の原因が見えなくなつてしまふ。高度成長後とバブル経済崩壊後の日本人を深く領するデフレマインドであり、それと関連する少子傾向、社会保障費の増大などが、単なる経済現象以前の気風や心理として日本の成長を阻害してきた。寧ろ「新自由主義的な構造改革」は、さうした停滞を打破する為に提唱された手段でした。確かに問題や副作用の方が効用よりも大きかつたかもしれないが、どちらにせよ、日本の病弊といふ事実は依然として残る。それを全部新自由主義のせゐにしてしまふのは乱暴の度が過ぎるといふものでせう。

要するに中野氏は、日本の病弊をできるだけ正確に指摘したいのか、それとも新自由主義を否定したいだけなのか。短い文章とはいへ、氏の文章が後者だけを露骨に狙つてゐるのは明らかです。

かういふレッテル貼りそれ自体が、多くの読者を、単純すぎる白黒論で政治を見る誤つた判断に誘導する。それ自体、国力の損耗ではないか。『国力とは何か』（講談社現代新書）の著者である愛国者・中野剛志にふさはしい議論の立て方とは思へぬが、どうでせうか。

批判の矢はアメリカに刺さらねば意味がない

中野氏の原理的な新自由主義批判そのものも、イデオロギー批判である筈の氏の筆そのものが、逆サイドに立つたイデオロギーと化してゐるやうに見受けられる事があるのが、私は時に気になる。例へば、自由貿易を国家国益の観点なしに、貿易といふ経済活動を自立した運動パターンと見做(みな)す、さういふ基本的な経済学のパラダイムそのものが、アダム・スミス以来の誤りだとまで言はれると、私のやうな経済の素人でも、ちよつと首を傾(かし)げたくなる。

人文学に於けるパラダイムといふのは、そもそも現実に対して極度の単純化を施すもので、単純化で見えなくなる要素より、見えてくる全体像に有効性があるかどうかが問はれるに過ぎない。それに、そもそも、スミスの主著は言ふまでもなく『国富論』であり、国家といふ単位は経済学の発生から、不可分にその中に縫い込まれてゐる。自由貿易が駄目で、保護主義こそが国を富ましてきた、といふのは、比較の立て方が間違つてゐるのではないか。保護すれば産業が伸びる条件下では保護主義が望ましく、強国が手つ取り早く自国の資源を売りつけ、他国から収奪したい時には貿易の自由度を増した方がいい。どちらにせよ、貿易が、完全に等価交換を重ね、富の増減や格差が起こらないといふ事はあり得ない。その中で、より多く収奪する側とされる側が生じる。その都度、調整する。関税率による調整、文化保守や産業保護的な観点からの規制、他の手がなくなれば戦争に訴へる事も調整の一部だつた。

要するに、貿易の自由度と保護は度合ひの問題であり、政治の問題であり、経済学説の原理的対立の問題ではないのではないか。

確かに、経済学説がイデオロギー化して、政治家や経済人の頭脳を支配すると、それは「妖怪」として独り歩きする。極端な例はマルクス主義だつたが、中野氏は今の新自由主義に同じやうに、硬直したイデオロギーとして世界を制覇する力を見てゐる。それには確かに一定の正しさはあるでせう。

経済学者や政治哲学者の思想は、それが正しい場合にも間違っている場合にも、一般に考えられているよりもはるかに強力である。事実、世界を支配するものはそれ以外にはないのである。どのような知的影響とも無縁であるとみずから信じている実際家たちも、過去のある経済学者の奴隷であるのが普通である。

（中野論文「新自由主義という妖怪」から、ケインズ『雇用・利子・および貨幣の一般理論』の再引用）

だが、それならば、打つ手の方も、よく考へねばならない。

まづ正攻法で言へば、中野氏は、イデオロギー批判として本当に世界を説得できる議論を、日本の論壇ではなく、世界の論壇で展開すべきでせう。中野氏が標的としてゐる新自由主義は――イデオロギー批判としては「敵」の設定が曖昧なのも問題なのですが、それは今は措くとして――アメリカが主流派経済学説と政治、産業界一体となつて世界に輸出してゐるグローバリゼーション、規制緩和などの一連の傾向を指すものであり、我が国は、大きな構造としてはさうしたアメリカによる攻勢に対して、防戦に努めてゐる側といふ事になる。当然、新自由主義批判の矢は、国内の誰かではなく、アメリカそのものに刺さらねば意味がない。

実際、アメリカに決して矢が届かない日本の論壇で、新自由主義批判を繰り返す事は、奇妙な現象を引き起こします。今、日本は安倍政権である。安倍氏は一貫して「瑞穂の国の資本主義」を提唱してゐる。中野氏の主張と符節はほぼぴつたり合ふはずだ。しかし現実には、安倍氏はいきなり「瑞穂の国の資本主義」を政策化する事はできないでゐる。

理由は明白だ。第一に、世界といふ戦場は現に新自由主義でプレーしてゐる。第二に、原理としての新自由主義は悪でも、個別の新自由主義的な政策手段は有効であり得る。第三に、「瑞穂の国の資本主義」の側に強い経済人、経済団体、国際的なネットワークがない。つまり人材不足。第四に、さうなるのも当然なのであつて、そもそも「瑞穂の国の資本主義」の理論化――

願はくば、世界の支配的イデオロギーに対抗し、超克し得る水準での理論化——が日本の論客らによつて準備できてゐない。

この状況で、安倍氏の「瑞穂の国の資本主義」は所詮スローガンに過ぎず、安倍氏を、化けの皮を剥(は)がせば新自由主義者に過ぎないと非難するのは筋違ひでせう。首相は理念は持つてゐる。しかし政策化する条件が揃つてゐなさ過ぎる。その中で、中野氏をはじめ、保守論客が、国内論壇で新自由主義批判を繰り返すと、本来中野氏の批判がぐさりと刺さつてほしいアメリカには全くその議論が届かず、届く先は安倍首相になる。理念としてせつかく「瑞穂の国の資本主義」を主張し、日本の国力増大に命を賭(か)けてゐるリーダーの背中を撃ちまくる事になる。弾は安倍氏の背中に留まり、世界には決して飛び出してゆかない。これでは、中野氏の議論が正しさを多く含めば含むほど、日本そのものが弱体化するではないか。

中野氏の経済論や国家論は、何冊か読む限り原理的には全て同工異曲だ。世界を席巻し続けてゐる経済理論を撃つには、日本の数万の読者を相手にした啓蒙的な新書を重ねて出し続けても、戦術論的に意味があるまい。寧ろ、世界の主流派経済を相手に戦ひ、これを説得できる重厚周密な著述に挑戦してもらひたいものだ。

「瑞穂の国の資本主義」の理論化、更にそれが日本のみならず世界経済を原理的に支へ、世界に恩恵を与へられるやうな形で理論化されれば、安倍氏の「瑞穂の国の資本主義」は、スローガンではなく、世界をリードし得る。更には、中国の今後数十年にわたる覇権主義の脅威を抑制する力にもなり得る。中野氏といふ少壮の「経済学者や政治哲学者の思想が世界を支配」し得る。中野氏としては、日に蔭に、安倍氏＝新自由主義批判を発信するよりも、中野理論が安倍政治に採用されるまで、それを鍛へあげる方が遥かに生産的ではないでせうか。

安倍首相は新自由主義の実現に向けて邁進してゐるか

いや、安倍氏は信ずるに足らぬ。「瑞穂の国の資本主義」などと口先だけで保守層を幻惑してゐるだけで、要するに小泉・竹中の徒と安倍は結局変はらないのだ――。

だが、それは全く見当外れの見方といふものでせう。

小泉氏も竹中氏も「瑞穂の国の資本主義」などおくびに出した事もない。彼らは基本的な軸足を新自由主義、競争原理主義に置いている。少なくとも小泉氏は、その点で嘘をついたり誤魔化したりした事はあるまい。そして、その通りの政治をした。ならば、安倍氏だつて、逆の意味で嘘をつくいはれはない。氏が「瑞穂の国の資本主義」を提唱するのは、氏がそれを本当に目指してゐるからだと取つて悪い理由はない。日々の報道を注意深く見てゐれば、今、氏は保守派が年来主張してきた政治を、殆ど毎日と言つていい程、形にしてきてゐます。できる事、緊急性の高い事から着手してゐる。

そもそも新自由主義者が経済団体に再三賃上げ要請をするでせうか。トップセールスと自ら称して、世界中で企業の為の商談を纏めて歩くでせうか。その安倍氏が「瑞穂の国の資本主義」へと大胆に転換できないならば、河野談話や村山談話の撤回、憲法改正発議などが容易にできないのと同様、やりたくてもすぐに着手できないからだと考へねばなるまい。

安倍首相は経済理論といふフィクションの世界ではなく、世界経済といふシビアな戦場でそれを実現せねばなりません。

世界は既に新自由主義でプレーをしてゐる。どの国の政治家の裏にも新自由主義的なグローバリズムの恩恵を受けた国際企業や金融のネットワークがべつたりと貼りついてゐる。わざと「べつたり」と書いたが政治家個人と国際財界の利権での癒着といふ事を言ひたいのではない。さういふ人もたくさんゐるでせうが、安倍氏はどうもそんな金持ちには見えません。そんな癒着で国を売るやうな人では絶対にあるまい。

小さなエピソードをご紹介しませう。安倍首相の夫人昭恵さんが始めた居酒屋ＵＺＵはご存知の方も多いでせう。このお店については、始めるにあたり、一年続けて赤字だつたらやめるといふ夫婦間協定が結ばれてゐたが、中々黒字に持つてゆけないと、先日夫人がこぼしてゐた。

江戸時代伝来の製法の蒟蒻(こんにゃく)や胡麻豆腐、米は一反で取れた米を他で収穫した米と混ぜない為、雑味が全くない本当の甘みがある、そして使ふ野菜は露地物だけ、徹頭徹尾「瑞穂の国」にこだはつた店で、私は東京でこんなに体に沁(し)みとほるうまい料理を出す店を他に知らない。どんな高級割烹(かっぽう)で御馳走になるよりずつと体に心地よく響く。しかも普通の居酒屋とさして変はらぬ安さだ。が、それゆゑに赤字、閉店の危機と今でも戦つてゐるといふ事にもなる。少なくとも新自由主義利権の微々たる恩恵さへ、総理の袖の下を通して夫人を潤すには至つてゐない訳だ。更に言へば、このやうな本物の「瑞穂の国」の食材は、発展するどころか、五十年かけてどんどん廃業に追ひ込まれてきた。それをグローバリズムのせゐにするのは幾らなんでも問題をすり替へ過ぎでせう。

話が逸れたが、政治家の最大の任務は国家防衛です。その時、今や国際政治力学と「べつたり」である、国際経済の大口プレイヤーの意向や人脈を完全にカットする事などできるわけがない。ロックフェラーなりロスチャイルドなりが世界を牛耳つてゐるのなら、彼等だけを抑へておけばいい、国際政治も省エネになつて結構な事だが、現実の世界は同格に近いプレイヤーが多数入り乱れての混戦だ。政治は、この国際的に緻密に張り巡らされた様々な力関係の中で、妥協と圧力とを繰り返しながら、最後の着地点を少しでも国益に沿つたものにするのが仕事です。これは、経済学説的な原理ではなく、政治力といふ、より人間的なステージの問題なのです。

中野氏は、経済財政諮問会議、産業競争力会議など安倍政権の経済政策の司令塔のメンバーが、典型的な新自由主義者たちである点を批判してゐます。さうした批判は保守論壇全般に根強い。だが一方で、安倍首相は、金融政策の元締めの日銀総裁に黒田東彦氏を、副総裁に岩田規久男氏を任じた。これは財務省・日銀の慣行に全く反する強烈な人事だつた。内閣参与には、浜田宏一氏、本田悦朗氏ら非主流派金融政策を主張する経済ブレインを入れてゐる。デフレ下では金融政策が何といつても即効性があるから、その政治的有効性は甚大だと言へよう。この人事は何を示すか。人材が揃ふなら、非主流派からでも、自分の政策に近い人物を採用したいといふ安倍首相の人事方針を示してゐるのではないか。

経済政策の司令塔の人選が新自由主義者に偏つてゐるといふ時、それは端的に人材不足なのではないでせうか。まさか新自由主義批判の理屈が言へるといふだけの論客を一〇人ばかり連れてきて政府の方針を決めさせるわけにもゆくまい。それこそよく雑誌が企画する「理想の内閣」的な意味で、「瑞穂の国の資本主義」を実現するに際して、経済ブレインチームのアンケートをやつてみるといいかもしれませんが、私は、どうも「瑞穂の国の資本主義」の側に、経済政策の司令塔に任じられる人材がなかなか見当たらないのが、首相の人事に表れてゐるのではないかと睨んでゐる。

国内産業界が同意し、経済人として国際的に信認され、理論的な裏付けも信頼に値し、腹芸もできる——まあそこまですべてを要求しないにせよ、司令塔が司令塔になるには、理屈だけでなく、司令に人々が服する総合的な人としての力が必要です。保守派経済側は、さうした地力に不足してゐる。まづ、その認識から出発する必要があるのではないでせうか。

なるほど「郵政民営化」は実に下らない話だつたが……

ここで、少し本質的な疑問を提出したい。

そもそも、守るべき日本経済とは何なのか。例へば今交渉中であるＴＰＰによつて剥き出しの競争原理に晒されて、日本の美質が消えてしまふと保守派は言ふ。――もつともらしいが、これも又、スローガンではないのでせうか。

いや、勿論私だつて「競争原理に晒されて、日本の美質が消えてしま」つた事例は、たくさん知つてゐる。敢へて自分の親しい日本語の閉ざされた言論出版界を例に取つてみても、それが言へる。ここは国際市場など何の関係もない日本語の閉ざされた世界です。外資の導入もグローバルスタンダードも無関係だ。にも拘らず、ここにも明らかに「失はれた二十年」が存在する。出版不況といふ金勘定の話以前に、何よりも質の点でひどい事になつた。

多くの出版人が、出版をビジネスと割り切り、それこそがリアリズムだと思つて何十年も突つ走つてきた結果、今や日本の出版界は、歴史に残る文豪を一人も世に出せなくなつた。大碩学もゐなくなつた。幸田露伴、泉鏡花、谷崎潤一郎、柳田國男、小林秀雄、白川静……商売を度外視した世界だつたからこそ、逆に長い目で見れば末永く商売になる。さうした文化と経済のサイクルを全く顧慮せずに、目先のビジネスだけに血道を上げ、出版界を枯れ果てた土壌にしたのは、グローバリズムでもアメリカの日本収奪でもなかつた。

農業の衰退もさうだ。あへて今の論客風に二項対立的に決めつければ、逆に行き過ぎた保護主義こそが農業を駄目にしたのではなかつたか。ＴＰＰで農業が駄目になるといふ。では、極端な関税を掛けて保護してきて、農業は力強く日本の基幹産業として育つてきたのか。数字以前に、若者が我先に就業したい誇りある職業たらうと自己陶冶に努めてきたか。

商店街が大型店に席巻されて駄目になつた、これだつてさうです。大型店が地方を来襲する前に、商売など全くやる気がなく、地方は無気力に沈滞してゐたではないか。商店街の店先には、ステテコ一丁で日がな一日パイプ椅子に座つて時間を消してゐる親爺がわんさかゐた。日本の産業の多くは、工夫も努力もないまま、政治の過保護の下で、内側から堕落してゐたのではなかつたか。

その中で、日本経済を強力に牽引してゐたのは、自由貿易の世界に果敢に打つて出続けた企業戦士と、自由貿易と保護主義の匙加減で苦闘し続けた霞が関の共闘だつた――勿論、これは言ひ過ぎだ。しかし半面の事実ではあるでせう。

要するに、内側からの沈滞、堕落、崩壊を直視して、日本を本当に修復しようとする努力を、新自由主義批判や、ＴＰＰでのアメリカの圧力、そして日本側の便乗主義者への批判に置き換へる。

日本は終はりだ！

日本収奪の完成としてのＴＰＰ！

何度聞いたセリフでせう。繊維交渉で日本は収奪され、牛肉、オレンジで日本は収奪され、日米構造協議で日本は収奪され、自動車戦争で日本は収奪され……。ところが、度重なる収奪の後でも、日本人はやはり世界でも平均的な裕福さでは最上位をキープし続け、スーパーで庶民でも買へる日本産の牛肉は美味くなり続け、アメリカにはトヨタが溢れ、日本でフォードもキャデラックも見た事がない。アメリカの日本収奪力、何と無様(ぶざま)なものでせうか。

なるほど、郵政民営化、実に下らない話でした。有識者間では小泉純一郎氏以外の誰もが馬鹿げてゐると考へてゐた政策を、日本の改革の本丸だと吠えて断行した。

①三五〇兆円という膨大な貯金・簡保資金が、「官」のおカネから「民」のおカネになっていく
②全国津々浦々の郵便局窓口がもっと便利になる
③国家公務員を三割削減し、小さな政府を実現する
④「見えない国民負担」が最小化される

（竹中平蔵著『郵政民営化「小さな政府」への試金石』ＰＨＰ研究所）

担当大臣だつた竹中平蔵氏が明言したこれらのメリットは一つも実現せず、あれほど優良事業だつた郵政事業は赤字に転落した。愚策もいいところだ。しかもたちが悪い事に、小泉氏に「あなたの政策は愚の骨頂だつた」とはつきり言つてやる直言居士(ちょくげんこじ)が氏の周囲にはゐないらしい。今でもいい事をしたと思ひ込んでゐる。その調子で無責任極まる原発ゼロ発言を最近始めた。困つた人だ。

だが、当時の郵政批判の側だつて褒められたものではないのではないか。郵政民営化は亡国とまで、当時、論客は言つてゐた筈だ。アメリカがこれをテコにして日本はすつからかんになる、

日本国民の財産は全部アメリカの保険会社に持つて行かれる、さう強硬な反対論者は言つてゐた。郵政民営化した側も結果責任を頬つ被りしてゐるが、反対論者達も又、自分の唱へてゐた極論を清算してゐないのではありませんか。

「他人に守つてもらふのは恥だ」といふ羞恥心の欠如

とりわけ私が嫌なのは、保守派が間歇的に襲はれる論調、一言で言へばアメリカ怨嗟論だ。アメリカの「年次改革要望書」が日本を壊す政策の元凶だつたのではないかといふ関岡英之氏による問題提起は意義があつたと思ふ。だが、この議論は今や、アメリカ怨嗟的な保守派の情念のよりどころになつてしまつてゐるのではないか。

アメリカといふ国は、国益によつて極めて残酷になり、平気で裏切る国である。その一方で、彼らはデモクラシーやキリスト教の理想を本気で信じてもゐる。そして、移民達の自由、他民族の自由といふ理念も本気で信じてきた。それでゐて、最も険悪な差別を抱へ込み続けたのもアメリカです。単純な正義をストレートに現実化しようとした時に生じる複雑な病理の諸相——それがアメリカの国柄だと言つてもいいでせう。

このアメリカが世界の基軸国家となり、且つ日本にとつても最も重要な国であるといふ事態が、七十年近く続いてゐる。思へば大変奇妙な巡り合せと言はねばなるまい。大東亜戦争で、日本はアメリカに大敗し、占領時代に徹底的な精神的武装解除を施された。それを又、日本側は、全部受け入れてしまつた。

ＧＨＱによる日本の土台の変造を我々は元に戻さずに、戦後日本をスタートさせた。負けた相手であるアメリカの冷戦政策に則り、日米安保でアメリカに守つてもらひ、アメリカが主導する国際機関及びアメリカそのものから大金を借りて、新幹線や高速道路を建設し、東京五輪を成功させ、アメリカとの貿易によつて富を築いた。多くの日本人が、戦後アメリカに留学し、学び、成長の為の人材となつた。日本を不当に戦争に追ひ込み、精神的に骨抜きにしたのもアメリカ、戦後の日本を平和な経済大国にした最大の恩人もアメリカだ。

この極めて面倒な関係を互ひに心理的に清算しないまま、更に、冷戦も終はつて二十五年。まだ対米従属の圧倒的なアンバランスの中に我が国はゐる。言ふまでもなく、安全保障の自立に国民的な覚悟と決断がないまま、それを全面的にアメリカに依存してゐるからだ。依存してゐる事実を見ず、依存してゐる恩恵に感謝もせず、依存してゐる屈辱を跳ね除けて自立自存を目指さうともしない。

外交政策の問題ではない。国民の気概や覚悟、そして何よりも羞恥心の問題である。自分の国を自分で守らず、他人に守つてもらふのは恥だといふ羞恥心の欠如です。大の男が、隣の乱暴者から自らを守れず、喚きながら助けを求めて逃げ回るくらゐなら、死んだ方がマシだといふのが世界の男のスタンダードでせう。

さういふ感覚自体を現代の日本人は失つてゐる。

それを失つてゐながら、貿易交渉の都度に日本はアメリカから強引且つ巧みに収奪されてきたといふ恨み節を滔々（とうとう）と論じたてる。

アメリカの側に立つて対日関係を考へてみよう。彼らにすれば、自分の国の金で、自国防衛の為に核を開発してきた。その余沢が、日米同盟における「核の傘」だ。それがこの六十年機能してきたから、日本の安全は微動だにしなかつた。更に、日本近海における米軍の展開が、日本の領土を直接守つてゐる。

アメリカのプレゼンスが落ちた途端、中国が尖閣諸島で露骨に仕掛け始めた事を見れば、それは明らかだ。更に、資源に乏しい日本にとつて、中東の石油こそが生命線だが、それを何不自由なく手に入れて来られたのは、アメリカの第五艦隊が中東の安全保障を一手に担つてゐるからに他ならない。

軍事力といふのは単なる金の問題ではない。装備だけの話でもない。若者の命を実際に犠牲にして成り立つ世界です。日本のこの半世紀の成長の為に、我々に直接見えなくとも多くのアメリカの若者が死んでゐる。今後、日本を巡る軍事衝突が起き、日米安保が発動されればアメリカの若者は東洋の一島国の為に、今度は直接血を流さなければならない。さうした環境の下で、日本は血一滴流さずに、戦後の繁栄と平和を享受してきた。

アメリカの軍事力の有形無形の恩恵を日本程受けてゐる国は世界中にあるまい。

ところが、アメリカにとつて、その日本が同時に、最大の経済上のライバルであつた。戦争でやつつけて一安心と思ひ、この貧弱な国を冷戦の防波堤にする為に、金と命を投じて守つてきた筈が、それをいい事にアメリカを踏み台にして高度成長を遂げた。その上、かつては左翼がアメリカの陰謀と収奪を言ひ立てたものだが、最近は、日本の保守派の方が、口を開けば、アメリカ批判を繰り返す。

私の人間観を率直に言はせてもらへば、こんな連中は、たちの悪いストーカー以外の何者でもない。今のアメリカ人はよほどの教養層や政治的要路の人間でさへ、GHQによる対日政策の中身など知らない。大東亜戦争時の日本は、アメリカにとつて本当に怖かつた。国力で一〇倍以上差があるのに、一歩、いや二歩位間違へたら敗北しかねなかつた。だから徹底して精神的武装解除して叩きのめした。あれだけ苦労して戦争に勝つた側からすれば当然の事だつたでせう。

やられた日本の側の思ひを私が今なほ、どれだけ痛切に感じ、今でも時に無念と復讐心に駆られて慟哭(どうこく)するかを、ここで事々(ことごと)しく言ふ必要はありますまい。それは日本人として当然な心情だからです。だがアメリカの側にだつて、彼らの「当然」はある。それを想像する力がなければ世界政治の舞台に立つ事も、真の意味でアメリカから自立する事もできません。

戦後日本の知識人最大の「罪」

占領の後、憲法も変へない、軍備の再整備もしない、教育内容も真つ赤つかのまま変へない、プレスコードも自主規制に置き換へて今なほテレビや教科書に猛威を振るひ続けてゐる。その上、自立しようといふ国家意志も打ち出せない。返還された沖縄を本当に同胞と見て、偽善を排した本音でぶつかりあつて、新たな日本の一員に迎へる手順も踏まなかつた。積極的に自ら立つための努力をこれだけ全面的に回避し、自分の方向をしつかりと定めようとしなかつたのは、アメリカの陰謀や収奪が原因ではなく、我々日本人自身が、己に対して無責任だつたからだ。

今のアメリカ人が知るのは、彼らが占領政策で何をやつたかではない。その後、己の手で自国の自立を引き受けようとしなかつた怯懦な日本人の姿だけだ。それでゐて、事あるごとにアメリカ批判、アメリカの収奪、アメリカの陰謀を言ひ立てる。

戦前の日米開戦の真の理由にせよ、占領政策にせよ、それらについては、私にも無論、日本人として断乎たる主張がある。しかし、幾ら国内の、それも保守論壇の一角で糞が漏れさうなくらゐ日本の立場を力説したところで、アメリカには屁の匂ひだつて届きません。英語圏で、向かうの知性を圧倒する知の蓄積と人間力を発信してこなかつた、七十年近くの不毛な歳月があるのです。第二、第三どころか第一〇、第二〇、第三〇といふペースで、内村鑑三、岡倉天心、鈴木大拙を輩出すべきだつたのに、それを全くしなかつた。私自身も含め、これこそが戦後日本の知識人最大の罪でせう。

力と力の場である国際社会で、自立への意志と国力、国家意志を強く打ち出してこなかつた日本が、自分を棚に上げて、何かにつけアメリカの非を鳴らすのは、ただみつともないだけだ。現代の日米関係の様々な不快な現象は、基本的に、日本の側の自立精神の無さが招いたのである。

日本側の不作為なのである。

自分の側に仕掛ける意欲も戦略もない時に、アメリカが仕掛けてくると騒いでも仕方ないからです。日本程の技術と信頼がある国に仕掛けてこない方がをかしい。要するに、こちらが一層先手を取つて仕掛ければいいだけの話ではないか。

*

かうして「失はれた二十年」、日本の保守派がアメリカに過剰反応してゐる間に、私達は二つの重大な問題をやり過ごしてきた。一つは、今書いたやうに、日本自身が思想と行動の自立と国家意志を真に樹立する事ですが、もう一つの問題は更に差し迫つてゐる。

中国の日本侵攻です。

新自由主義批判やTPP批判だけではない。嫌韓論、中国崩壊論など、中国の脅威から耳目を逸らすあらゆる言説が今の日本には溢れてゐるが、中国の差し迫つた脅威こそが、保守論壇が一丸となつて安倍政権を支へ、智慧と力を絞る主題だと私は思つてゐます。近く機会が与へられれば、論じてみたいと思ふ（※）。

※この中国の脅威については、第四章「『今、ここ』にある危機と戦ふ指針」で少し踏み込んで論じた。

保守の本気を問ふ——安倍総理の背負ふ「巨大すぎる宿命」について

（『正論』平成二十六〈二〇一四〉年三月号掲載論文を改稿）

達成しなければならない「憲法改正」といふゴール

安倍政権激動の一年、激動の第一幕が終はりました。

逆に言ひませう、我々の持ち時間は、一年分消えたのです。

安倍政権でどうしても達成しなければならぬゴールは何か。言ふまでもなく憲法改正です。これは、私見では、やれたらいいな、とか、安倍政権で地盤を固めて、後継者の誰かの時に実現すればいいといふやうな課題ではない。ここを外すと、日本は自立した尊厳ある国家に戻る機を半永久的に失ひ、日本民族の歴史が終はるといふ程の大事業です。中身以上に、そもそも国家の最高法規を、自己決定しないでどうするか。さうした尊厳に関はる痛覚を喪つた事こそが現代日本の病の本質です。痛覚がなければ危機を危機と感じられない。重篤な腰痛なのに酒に痛みを紛らはせて大暴れすれば、一生半身不随になるやうに、国家としての痛覚を取り戻さなければ、今後の厳しい国際情勢の中で、日本は民族として内側から溶解する他ないのではないか。その痛覚を取り戻す為の本丸こそが憲法改正だ、私はさう思ふ。

にも拘（かかわ）らず、憲法改正は途方もない難事です。

いや、難事どころか、現状では限りなく不可能に近い。何故か。特定秘密保護法でのマスコミの安倍叩きを見れば詳論するまでもないでせう。内容の議論など嘘つぱちだらけ、ひたすら危機を煽る。その結果、実に八〇％の国民が法案に反対といふ数字が出た。その後、内閣支持率は持ち直したから、所詮バッシング効果は一過性だといふのは気休めに過ぎません。憲法改正の国民投票の瞬間にこの種のキャンペーンを張られるのは間違ひない。

今から国民輿論に関してよほど手を打つておかない限り、憲法改正の国民投票はマスコミのキャンペーンで一巻の終はりです。安倍政権は打撃を受ける。「それ見た事か」といふ形で、安倍政治の理念が嘲笑される。求心力が下がる。ポスト安倍政権への安倍氏の影響力そのものも低下しかねない。敵性国家はそれに呼応し、安倍包囲網を一気に形成する。一方、安倍政権程、長期に渡り輿論の支持を受け、実績を上げ、総理の見識・信念が盤石であつてさへ憲法改正が無理だつたといふ事になれば、他の誰が再びこの課題にチャレンジしようとするでせう。理屈の上では何度でもチャレンジすればいいといふ話だが、バッシングが凄まじければ、よほどの政治家でなければ自分の首を絞めてまで挑戦すまい。そしてよほどの政治家といふものは滅多に出現するものではありません。

それなのに、安倍政権は内外に敵だらけだ。小選挙区になつて以来、自民党といふ政党は政権基盤をつくれない党になつてしまつた。その上、憲法改正を口で唱へるだけではなく、政治生命を賭けようとまで本気で思つてゐる議員となれば、さうはゐまい。霞が関もそこまで安倍氏に心中立てする気はない。

身内さへからうだ。マスコミは内閣支持率が下がれば猛攻撃するつもりでゐるし、中国、韓国のみならずアメリカも安倍氏の自主外交路線と、歴史修正主義には強い警戒を抱いてゐる。それもこれも、安倍氏が本当の日本を、本気で取り戻さうと思つてゐるからに他ならない。要するに、保守の理念そのものが内外に多くの敵を生んでゐる。

ところが、この敵だらけの安倍氏の心情的な基盤となるべき草の根保守や保守論壇が、どうにもぶれる。安倍氏一筋の忠義を尽くせない。

昨年（平成二十五〈二〇一三〉年）の秋、消費増税で国民輿論以上に沸騰して、安倍氏への熱烈な支持を取り下げる人が続出し、秋の例大祭の参拝見送りで更に罵詈雑言（ばりぞうごん）が出たかと思ふと、今度は年末の靖国参拝で再び安倍氏に熱狂する。

これでは自らの感情に振り回され、憲法改正での大戦争を、本当に戦争として戦ふべき時が来る前に、体力・気力とも消耗してしまふのではないかと危惧してゐたら、今度は、都知事選での田母神俊雄フィーバーだ。

都知事選で消耗していいのか

田母神氏も、氏を推薦する人たちも、面識もあるし、その見識に日頃敬意を払つてゐる先輩がたです。昨年末、ふとした雑談の折、その擁立構想を水島聡氏（日本文化チャンネル桜代表）から聞かされた時、私は特に意見を持たなかつた。といふのは、もし無風の選挙であれば、保守派の主張や求心力、逆に、限界を試す上でも、今後来る「本当の戦ひ」の予行演習になるかもしれないと思つたし、何よりも、私は応援団の水島さんの人柄や、根にある優情とも言ふべき日本の親爺（おやじ）らしさが、好きだつたからです。私は好きな人のやる事には、よほどの場合でない限り、議論を吹き掛けたりしない。その人物を好きなだけの理由があり、それは何らかの意味での信頼に他ならないのであれば、私はその信頼感情に従ふ、それが私の生き方だ。

だが、それが極端な田母神フィーバーになり、ネット保守の諸氏が、自民党が推薦する舛添要一氏を口を極めて罵り、舛添を応援するとでも言はうものなら売国奴呼ばはりが始まるとなれば、全く話は別になる。その上、細川――小泉連合にマスコミが乗つかり反原発選挙にしたがつてゐる様子を見ると、黙つて見過ごす訳にゆかない「よほどの場合」になり兼ねなくはないか。

田母神票が、安倍自民党が推薦する舛添氏の票を食ふのみならず、舛添氏を応援する気持を保守から完全に一掃し、万一、細川――小泉連合に風が吹いたらどうするか。この稿を書いてゐる一月十八日の段階での輿論調査の数字が分らないので、小泉氏の集票力について何とも言へないが、当選に至らずとも、万一、相応以上の数字が出てしまつた時には、小泉氏といふ国家観なき老政争家に、ありもしない筈の求心力が生まれ、一事が万事、安倍首相の足を引つ張る事になりかねない。本気で宣伝戦を仕掛ければ、瓢簞（ひょうたん）から駒は生まれ、輿論も世界も動く。老小泉氏が神話の主になどならぬといふ保証はない。安倍首相の求心力低下そのものをゴールに設定すれば、鋏（はさみ）と小泉氏は使ひやうだ、さう考へる勢力があつてをかしくはない。政治が流動化する原因にならぬ保証はない。

かう言つては乱暴だが、そもそも都知事選など、憲法改正の前ではどうでもいい。次期都知事に大事なのは、石原元都知事が道筋を付け、安倍首相がもぎとつた東京五輪に向け、東京の行政機能と都民の士気を高めてゆく五輪担当能力であつて、それ以上のものでも以下のものでもない。

考へても御覧なさい。石原慎太郎氏程の存在感と理念、知名度と政治経験のある人でさへ、十五年の都政で国の理念的なあり方を変へるやうな事は殆どできなかつたのです。安倍首相がこの一年で成し遂げた事とは比較にならない。それは当然です、どんな国家的理念があらうと、あくまで都知事なのですから。

逆に、かつて美濃部都政が絶大な人気を誇つたが、彼にできた事は、放漫過ぎる福祉政策で都の財政をガタガタにする事だけで、都民の脳味噌を真つ赤に変へる事もできなければ、都から国へと革命の理念を感染させる事もできませんでした。要するに、舛添氏が純粋保守から見たらどんな怪しからん面があるか知らないが、国の大勢に氏の理念と政策が影響する事はまづあり得ない。都知事として、保守派にとつて肝心な事は、官邸とパイプがあり、いざ、政権が本気で睨めば一番肝心なところでは言ふ事をきく人間がそこに座つてゐてくれる事ではないのか。後は有能な行政官であればある程、都民の為に結構だといふ事に尽きる。

そんな都知事選で、保守派が消耗してもいいのでせうか。

課題の巨大さに比べて余りにも非力な保守派

都知事選の帰趨がどうならうと、そのすぐ先に、今度は、四月一日の消費増税が待つてゐる。

ここでの、一番の危惧は、消費増税へのマスコミのアンチ安倍キャンペーンと、ネット保守層による増税延期キャンペーンが、ダブルパンチとなる事だ。

今まで増税に肯定的だつたマスコミは、恐らく今度は掌を返したやうに増税の不安を煽り始めるでせう。その時、ネット保守が、例へば「安倍首相、今からでも遅くはない、増税延期してくださいキャンペーン」などに乗つかつてしまふと、舛添叩きに続き、安倍氏を応援すると称しながら、今度は、マスコミと協働して、サンドイッチ状に安倍政権に打撃を与へる事になる。

そもそも野党が政権を弱体化させるならともかく、我々政権を応援する側が増税延期のやうな不可能な注文を安倍政権に出す事など、万一にもあつてはなりません。予算は当然ながら増税を前提に組まれてゐる。行政の継続性、また、現況の景気動向や国民感情からも、増税延期があり得ないのは自明です。

私が、厭な気持になつたのは、昨年末、安倍首相が「報道ステーション」に生出演した折、それまで安倍首相に押されつ放しだつた古舘伊知郎キャスターが、最後の捨て台詞で「政治主導と言ふのであれば、増税延期を首相の決断力で是非できないものでせうか！」とやつたのを見た時だ。ははあ、連中は増税前にこの手で攻めてくるつもりか、その時、ネット保守層が「増税延期キャンペーン」に乗せられると、政権始まつて以来初の、マスコミとネットのサンドイッチでの安倍叩きになつてしまふ。

要するに、です。

安倍政権二年目に当り、安倍氏だからこそ可能な「日本を取り戻す」戦ひを、本気で勝ちたいのか。それともナショナリズムを怒号したり、自らの原理主義的な主張、正義、感情に酔い痴れたいだけなのか。その自問自答だけは、保守派諸氏が各自徹底して、己の内で消化し尽くしておかねばならないのではないでせうか。

我々保守派は、課題の巨大さに較べて、余りにも非力なのです。だから、最も勝つべき主題だけに絞り、それだけは勝ち取らねばならない。それは、歴史認識や靖国であり、国語、歴史、道徳教育の再生であり、その終着駅としての憲法改正だ。安倍政権以後、これらの主題を二度と反日勢力に手渡さないところまで勝ち取つてしまふ、それが如何に至難な事か。そして安倍政権は高支持率が続くとも限らず、まして永久に続くわけでもないのです。政治権力とは本当にうつろひ易(やす)いものなのだ。

安倍政権一年で見えてきた弱点

安倍政権は、たつた一年で、安倍政治そのものの「三本の矢」を放ち、見事に成果を上げたと言へます。この場合の「第一の矢」は、経済を始めとする日本の国力復活の諸政策です。「第二の矢」は、外交における国際的な信認と自前の防衛能力の強化へ舵を切る事だつた。そして「第三の矢」は、日本の国柄に関はる中核価値を取り戻す事だ。安倍首相は、この三本を何と一年の政治日程の中で、全て、青写真として描いてみせた。

また、この三本が個々の矢ではなく、例へばアベノミクスや外交努力による日本の信頼回復が、東京五輪の招致を成功させ、一方で、「積極的平和主義」の主唱によつて安全保障政策の転換を軍事大国化と懸念させる事を防ぎ、靖国参拝批判が日本包囲にならぬやう牽制するなど、それぞれの政策が有機的に関連してゐる点も、日本の従来の政治には見られない本物の政治主導と言へる。

では、政権二年目の課題は何か。総理自ら言明してをられるやうに、脱デフレによつて、国民経済をいよいよ確実な成長軌道に乗せる事が依然として第一の課題でせう。消費増税のマイナス効果を短期で吸収して成長基調が続くかが一つの分岐点になる。

もつとも、成長戦略に関しては、金融政策に較べ、必ずしも有効性が保障されるものではない。これは仕方のない事です。経済の原動力は、本来、民間需要と、国民の生活向上への意欲です。民需も、脱高度成長社会となつて久しい我が国の場合、現実的な需要といふよりも、より高きを望む国民の欲望の旺盛さに、多分に左右される。政府が金を使へば数字が出る話ではない。国民の士気と政策が好循環を生めるかどうかだが、成長や成功への願望が若年層で薄れてゐるといふ事実は動かせない。

安倍氏の成長戦略を「マッチョ」と揶揄し、「成長ではなく成熟」こそ今必要だと唱へる議論もあるが、「成長」と「成熟」は対置されるべき概念ではないのではないか。確かに、「成長」をバブルなもの、空疎で競争的で外向的なものととらへたくなる気持は分るが、「成長」の逆概念はあくまでも「停滞」や「衰退」です。

寧ろ、経済的、外的な「成長」と、内的な「成熟」は車の両輪で、前者への欲望が失はれた社会で、「成熟」が深まるとは思へない。福田赳夫が昭和元禄と名付けた高度成長に、三島由紀夫は絶望し、その有様を「無機的な、からつぽな、ニュートラルな、中間色の、富裕な、抜目がない、或る経済的大国」と喝破した。だが「昭和元禄」はやはり「元禄」だけの事はあつたのです。昭和三十年代や四十年代の日本の文化状況に「絶望」できたのが、今となつては羨ましい程、あの時代の日本は「成長」のみならず、「成熟」の面でも圧巻でした。一方、昭和五十年代末、ポスト成長社会を『柔らかい個人主義の誕生』による「成熟」と捉へた議論があつたが、残念ながら、その早くも十数年後には、別の、ある論客が『日本人はなぜかくも幼稚になつたのか』と嘆く程、我が国は「成長」と「成熟」双方から見放されて今日に至つてゐる。

そもそも政治に「成熟」まで要求するのは、情けない話ではないか。政治が「成長」にこだはつてくれるからこそ、文化の「成熟」、理念、思想の「成熟」、人間の「成熟」に、我々は意を注ぐ事ができるのではないのか。

その意味で、安倍首相が一貫して「成長」にこだはつてゐるのは、保守が目指す日本の国柄を我々が耕す上でも、不可欠な事だ。保守政治家が何故そんなに経済政策を優先するのかと難ずるのは見当違ひな批判です。「成長」の活力は、思想や理念にとつて、「地の塩」なのです。

一方、価値観外交と安全保障政策の転換は、一年目の目覚ましい成功をそのまま継続すればいい。ここでは詳論は省きます。

では逆に、安倍政権一年で見えてきた弱点は何か。

その最大のものは、国内外ともに広報戦略と情報活動だと言つていい。いい例は特定秘密保護法審議の不手際だ。マスコミのバッシングは法外だつたが、あれを許してしまつたのは、そもそも政府与党の側の戦略ミスでせう。

保守政権が提出する「国家」を主題にした法案は、マスコミが最も叩きたがる定番メニューです。かうした本物の「勝負球」では、どんな反発があらうと、安倍首相その人をまづ前面に出さねば駄目だ。それを隠してしまつた。国会閉会後の総理の記者会見やテレビ出演を見れば、一発で国民は説得されると言つていい内容だつただけに、早い段階であれをやるべきだつたでせう。

一方、政府による説明の手順としては、法案の本来的な意義、そして効果と問題点を公平に提示し、マスコミに騒がれる前に寧ろ政府の側が、積極的に論点を明らかにすべきだつたと思ふ。今回マスコミは「秘密」といふ言葉を濫用したが、政府の説明は本質論、具体論共に明晰さに欠けたまま事態が混迷した。要するに、広報戦略以前にロジックの組み立てそのものが甘過ぎたまま、マスコミの餌食になつた感が否めない。

同じ事は外交にも言へる。確かに安倍外交の成果は目覚ましいが、逆に言へば、首脳外交とトップセールスだけで、広報外交不在の圧倒的劣勢を挽回して回つてゐるといふのが実情ではないか。中韓の国際広報戦略は長期に渡り、猛烈な自国の売り込みを展開してゐるのに、対する日本は完全に無策です。我が国では韓国から喧嘩を売られてゐるから、嫌韓が当然のやうに思ふが、彼らだつて世界中で喧嘩を売つて歩いてゐるわけではない。寧ろ韓流ブームを起こすべく、日本以外の全ての国では笑顔を振りまき、テレビ番組を売り込み、タレントを送り込み、ソフトパワーでの浸透に必死なのです。その成果はやはり出てゐる。東南アジアでは日本語放送がなくなり、韓国語放送に置き換へられる例が続出してゐるといふ。かういふ外交無策のツケは歴史認識問題などで大きく日本の国柄の保守を損ねてゐます。ロジックとレトリック双方の検討も含め、正に「次元の違ふ」外交広報戦略を即座に立ち上げるべきだ。

「国家百年の基礎工事」への着手を

しかも安倍政権二年目の課題は、かうした弱点の克服に留まらない。長期政権の目が出てきた以上、幾つかの避ける事のできない中長期的な国家ヴィジョンにも着手せねばなりません。酷ではあるが、安倍氏程力量のある宰相でなければ、長期ヴィジョンの基盤をつくる事は無理なので、氏にお願ひする他はない。安倍首相の下で、これらの国家百年の基礎工事ができる逸材が切に求められる。取り組み開始の時期が遅れると、手遅れになるテーマばかりだからです。

まづ第一に人口減少社会への対処です。出生率の減少による人口減少は、タイミングを逸すると累乗的に坂道を転げ落ち始め、取り返しがつかなくなる、今の日本は既にその入口を潜りかかつてゐる。従来のやうな通り一遍のその場凌ぎではなく、国家国民挙げて取り組むべき課題です。男女共同参画社会の美名に拘束されたまま、この主題をいい加減にやり過ごしてはなりません。

第二に、エネルギー政策です。専門家の議論も含め、極論と利権とイデオロギーが入り乱れ、ドタバタ劇がいつまでも終はらない。脱石油エネルギー政策として原発が推進されてきたのに、今や再び完全な石油依存状態に逆行してしまつた。脱石油依存、脱原発依存と、原発技術の確保、新エネルギーへの大胆な取り組みが、同時に構築されねばならない。途方もない難事と言へるが、安全保障上、待つたなしだと思ふ。

第三に、教育です。ここでぶれない柱を建築できれば、安倍政権による「後生への最大遺物」

となる。その核は、国語教育、歴史教育、道徳教育の大幅な改善であり、教科書検定基準を法で定め、検証や罰則まで踏み込んでしまふ事だ。英語教育や様々な制度改革は、いはば彩りでせう。親がなくとも子は育つ。まして教育制度なんぞなくても子供は育つに決まつてゐる。古今東西、国家民族の強烈な発展期を研究して御覧なさい。どこでも国語、歴史、道徳の徹底的なしごきだけで民族力は勃興してゐる。安倍政権の「教育再生」が、さうした本筋を見失はない事を、私は切に祈つてゐます。

「河野談話」が世界で暴走し続けてゐる事の教訓

だが、かうした中・長期的課題の上に、安倍首相には更に酷なお願ひをしなければならない。それこそは、国柄の回復であり、保守の理念の定着です。

課題は、靖国参拝の恒常化であり、歴史認識問題を国際社会で決着し、とりわけ村山談話、河野談話を越えたところでの総理、官房長官談話の発出と、世界でそれが公認される状況をつくりだす事だ。

戦後日本が自ら招いた敗戦根性に中韓の長年のロビー活動が輻輳し、今、歴史認識を巡る議論は余りにも日本に不利な状況です。

国内でさへ脱東京裁判史観の現状は厳しい。議論や実証で勝つてパワー・ゲームで負けてゐる。歴史学界は反日左翼の残滓が今なお色濃く、保守派論壇の議論は無視されるか、拙い反論によつて葬り去られる。日本のアカデミズムの圧倒的な主流派は向かうに抑へられてゐる。つまり、教科書も大学のエリート教育、後継者育成も、世界に向けた学術論文の発信も、出版、マスコミも、保守派の議論はまだまだ片隅で流通してゐるに過ぎない。こちら側の専門家や思想家、論客を専門の教育機関で養成できないのは、やはり非常に痛い。

また、さうした状況下、研究と啓蒙をごく僅(わず)かの論客で展開せざるを得ないので、広報戦略を立てる余裕や、世界に通用するレトリックの検討も手つかずだ。

日本の知的世界での公論が、かうも形成されないままでは、日本の行政——外務省や首相官邸——だつて、本気で歴史認識で、外国と調整も喧嘩もできまい。この状況のまま「我に正論あり」といふだけで、安倍首相に「歴史認識で、世界で勝利してくれ。何をやつてるのか、遅い」などと言ふのは、無理筋が過ぎよう。

いや、一過性の勝利、安倍首相の信念の勝利はあり得るかもしれない。しかし、それを言ふなら、河野談話は閣議決定も経てゐない官房長官談話に過ぎず、従軍慰安婦の軍の強制性なしとの政府見解は、第一次安倍政権の閣議決定なのに、世界で暴走し続けてゐるのは河野談話の方である事を充分教訓とせねばなりません。再び、安倍政権が歴史認識で踏み込んだ見解を出しても、「あれは安倍首相個人の信念」で片づけ、行政や外交の継続性としては河野談話を採る、さういふ事態そのものを根底から覆す事を我々は考へねばならないのです。

真の平和主義は、軍隊を持たない限り不可能

更に、話は続く。

この項、最初に述べた「ゴール」、憲法改正です。

憲法改正の要諦は、国防の急務にはない。何故ならば、現行憲法に解釈改憲を加へつつ、自衛隊法を実戦に向けてシフトし、日米同盟を強化すれば、当面の国防力の担保自体は必ずしも不可能ではないからです。憲法改正の最初の主眼は、自分の国の最高法規を自らの意志で変へる、つまり自国の運命を自ら決する国家意志を国民が共有する事に他ならない。

だからこそ、憲法破棄論や自主憲法制定論に、どれほど正当性があらうとも、今現実に可能な事に焦点を絞るべきだ。つまり、九十六条及び九条改正、非常事態規定などをまづ先行させるべきである。

今日本人に何より必要なのは、まづ憲法を国民の手で変へたといふ既成事実そのものだ。一度その既成事実ができた時、日本人の意識は間違ひなく変はる。

更に、九条改正で、自衛隊が国防軍となるところまで踏み込めれば、これも又国民意識を大きく動かす。我が国が陸海空軍を持ち、街を日本の軍人が歩くのです。自衛官から軍人に。同じく凛々（りり）しく国家を背負ふ気概ある人達だが、国民の眼に映じる姿は全く違つたものになるでせう。

言ふまでもないが、これは、戦争ができる国にする、なるといふ話ではありません。自分の国

を守つてゐる「軍人」といふ伝統と威厳ある存在が身近にゐるといふ事――その風景が、国家の背骨を生む。背骨ある国になればこそ、真の意味での平和の追求も可能になる。九条を金科玉条とする平和主義は、平和の追求とは全く言へない。本当の平和の追求は、当然、安全保障の脅威となる国々の野心を抑止する事でなければならない。

さうした真の平和主義は、軍隊を持たない限り不可能です。戦争などあり得ないし、自分はそれに全く関与しないといふ精神が、平和をつくる原動力になる事などできる筈がない。地球上に平和しかないならば、勿論、九条さへ必要ない。しかし、そこでは未だ絶えず平和が脅かされてゐる。いはば、警察権力の全く及ばない僻地で、隣近所に、武装集団がアジトを構へ、殺人犯や恫喝常習者を多数擁してゐる時に、玄関にカギを掛ける代はりに、「強盗、やくざ、お断り」と張り紙をしておけば、安心して女子供を住まはせておけるか。

平和をつくりだすのは、平和を愛する精神が力を持つ時だけだ。憲法九条改正は、永続的な平和の為にこそ必要であり、自ら創造する尊厳ある平和の為にこそ、どうしても必要なのです。

九十六条、九条の改正をなし得れば、必ずや、日本人の意識は、劇的に変るに違ひない。自らの運命を引き受け、自ら平和を創造しようと努める国民に生れ変るに違ひない。

その意味で、何と言つても、まづは改正そのものを目的とすべきだ。

にも拘らず、それがどんなに難事か――。それは既に書きました。

持ち時間の内、一年は消えた

要するに、安倍首相は余りにも巨大な課題を一人で背負はざるを得ず、一方、我々保守派は、保守の理念に完全に絞つて戦つてさへ、知的にも運動論的にも、あらゆる意味で、圧倒的少数派、非力、準備不足なのです。

その深刻な自覚に立ち、倒産したら人生が終はりといふビジネスでのギリギリの勝負以上の「恐れと戦き」を身内に漲らせながら、本当の戦を戦はうとしない限り、安倍政権下で保守の理念を取り戻し、明日の日本に繋げる事など到底不可能です。

私は、安倍信者と揶揄される事も多いが、私の氏への「忠義」は、以上の国家的な「恐れと戦き」に裏打ちされたものなのだ。

政権二年目、つまり、持ち時間の内、一年は消えました。

私の言ひたい事は、それに尽きます。

第二章
神学としての靖国、戦略としての靖国

靖国の神学・私論（前編）——大東亜戦争を通じて現れたもの

（『Voice』平成二十五〈二〇一三〉年九月号掲載論文を改稿）

戦は好戦派といふ様な人間が居るから起るのではない。人生がもともと戦だから起るのである。

（小林秀雄「戦争と平和」）

国民の総意による安倍首相の参拝を

安倍政権は姑息であつてはならない、絶対に。靖国神社参拝に関する最終的な態度決定に当たつては。

何故か。端的に言ひませう。靖国神社は日本における国柄の中核価値だからです。

安倍政権は、アベノミクスによる日本経済の応急処置に成功し、安倍ドクトリンとも言ふべき独自の外交——日米同盟、対中包囲網、資源外交を基軸にしつつ、アメリカからの自立に向けて徐々に重心を置き換へる——により、崩壊寸前だつた日本の土台の補修に成功しました。しかし、安倍政権の掲げる「日本を取り戻す」は、単なる経済の復活、目先の日本復活だけではないはずだ。安倍首相が、状況を見つつ、発言を微妙に修正しつつも、従来のどんな首相も敢へて語らなかつた歴史認識問題や憲法改正を語り続けてきた事から明らかなやうに、安倍氏にとつて、この取り戻すべき「日本」の本丸が、第一次安倍政権時の「戦後レジームからの脱却」であるのは明らかでせう。

であるならば、これからが戦ひの正念場です。

とにかく在任中に一度でも参拝すれば形がつく、といふやうな発想が一番いけない。絶対にいけない。さらに靖国参拝自体を公約にした小泉元首相の二の舞になつてはいけない。靖国とは何かといふ国民的理解の深まりがないまま、外交的配慮の名の下に、日をコロコロ変へて、とにかく参拝し続ける、これでは政治的パフォーマンスだ。祀られてゐる英霊がこれをどう見るか。

私は、何はともあれさつさと八月十五日に参拝してくれなどと安倍氏に注文するつもりはない。総理の靖国参拝は昭和五十（一九七五）年の三木首相以後、四十年近くにわたつて極めて面倒な状況下で、翻弄され続けてきた。そんなもの気にせずに、粛々と参拝すればいいぢやないか。さう、その通りと言ひたいが、これから論じるやうに、総理の靖国参拝は、司法の知的暴挙、マスコミのアンチ靖国報道、歴代首相の腰砕け、それに乗じた近年の中国・韓国の外交圧力が輻輳して、殆ど解き難い迷宮と化してゐる。さうした中、ろくな準備もなしの、単発での総理参拝は問題の解決にはならないと私は思ふ。安倍総理には、以後、歴代首相が、ごく当り前に毎年静かに公式参拝できる環境をつくつてもらひたいし、それを土台に天皇陛下の御親拝までも実現して頂きたい。だからこそ中途半端な蛮勇は禁物なのである。
まづ、肚（はら）を据ゑる事です。靖国参拝は我が国の精神的価値の中核にある。政治・外交イシューではない。安倍首相はこの事を理解してゐる極めて稀な政治家だと私は信じてゐる。だからこそ、この問題は、まづ第一に、首相の内心における英霊への真摯な祈りと問ひかけにかかつてゐると思ふ。

今の日本の崩れは容易ならざるものです。経済や安全保障の危機はいはば表面的な症状に過ぎない。内側に病気の原因があるからかうした症状が出る。この内なる病因をこれ以上放置すると、日本はある日突然死しかねない、それほど、内側からの崩れは深刻だ。その内側の病因と靖国問題は深く関係してゐる。一言で言へば、自分の国を先の大戦で敗れた相手に守つてもらつて、自分たちは金儲けにうつつを抜かしてきた。人々は口を揃へて平和と繁栄が尊いと言ふ。しかし、道徳的腐敗の上に永続的な平和も繁栄もあり得まい。こんな事をちらとも恥ぢと思はないで七十年もやつてゐれば、国民の心は卑しくなり、国家としての求心力はどんどん失はれるに決まつてゐる。

靖国はこれから論じるやうに、さうした荒廃から私たちが立ち直る上での中核価値です。だからこそ安倍首相に直言したい、政治・外交の桎梏（しっこく）や周囲の専門家の助言から一度自由になり、真つ白な心で靖国問題を熟思していただきたい。英霊の声を静かに聴いていただきたい。英霊は間違ひなく安倍首相にならば分かつてもらへると信じて、本当の声を届けたいと切望してゐる。安倍氏ほどの政治家だ、その時、必ず見えてくる国柄と解決の方途があるはずだ。
勿論、政治家である安倍氏は最終的な行動については慎重であらねばならない。だから、逆に我々国民は傍観者であつてはなりません。心ある国民は、国辱に対してもつと激しく強く怒らねばならない。そもそも我が国の為に戦場に散つた功労者への鎮魂・顕彰を、諸外国に遠慮して自粛するといふ国辱を許す位なら、もう一度一億玉砕した方がずつとましではないか。二三〇万人もの方々が日本の為に命を捧げたのが、たつた七十年前の事です。その人たちが命を捨てて国を守つてくれた御蔭で、今日の日本がある。その二三〇万人もの御霊を日陰者にしてまで、マスコミの反応がどうの、外国の顔色がどうのと、事なかれを期する国があれば、そんな国は腰抜けどころか、精神の腐りきつたドブだ。

最も重大な正邪は譲れぬといふ感覚を喪つた人間は、現実への適切な判断能力も、やがて喪ひます。「人はパンのみに生くるにあらず」といふのは、何もキリスト教固有の理想主義などではない、寧ろリアリズムについての普遍的な思想だと言つていい。パンさへ食へればいいなどといふのは現実主義ではない。現実の奴隷になる事に過ぎない。そんな所が現実だと勘違ひして蠢いてゐては、やがて現実をも手放す。理想への痛切な感覚のない現実主義は、現実を守れないのです。日本はリアリズムを取り戻す為にこそ、もつと精神の領域への感覚を研ぎ澄まさねばなりません。靖国神社とはいはばその試金石だ。

靖国神社創建の意義とは何だつたか

では、靖国神社の何が、さういふ精神的な意味での中核価値だといふのか。少し整理して論じてみませう。議論は三段に分かれます。靖国神社は明治維新、新政府発足とほぼ同時に創建されましたが、この靖国創建にはどのやうな意義があつたのかが第一の論点。次に、靖国が日本人にとつて、ある絶対的な場になつたのは大東亜戦争を通じてである。「靖国で会はう」を合言葉に無数の先人が戦場で散つた。この事を通じて靖国は近代日本の中核価値としての本質を顕はにしたといふのが私の考へです。これが第二の論点。そして三つ目、かうして余りにも大きな犠牲と引き換へに靖国神社の本質が現れたといふのに、戦後、それは言語に絶するひどい侮辱に汚され続けてきた。つまり、第三の論点は、この靖国の現状の確認です。

まづ第一の論点、靖国神社創建の意義とは何だつたのか。

靖国神社創建は明治維新に遡る。「東京招魂社」といふ名での仮宮での最初の祭祀は明治二（一八六九）年六月、社殿の正式な落成が明治五（一八七二）年五月、靖国神社と改称されたのは明治十二（一八七九）年六月の事だ。しかし、明治天皇による創建御意向の表明は新政府発足の直後に遡る。慶應三（一八六七）年十二月九日に王政復古の大号令、翌年三月十四日に五ヶ条の御誓文が公示され、新政府の政治方針が明らかにされた。その直後の五月十日、太政官府から発せられた「癸丑以来殉難者ノ霊ヲ東山ニ祭祀ノ件」との布告に、既に明治天皇の御意向が示されてゐるのです。「唱義精忠天下に魁して国事に斃れ候諸子及草莽有志の輩」を幕府側による「冤枉罹禍」から名誉回復し、「国家に大いに勲労ある者」の名が「湮滅」せぬやう、これら死者の「志操を天下に表し、其忠魂を慰められたく、今般東山の佳域に祠宇を設け、右等の霊魂を永く合祀致さるべき旨仰い出され」た。癸丑は嘉永六（一八五三）年、黒船来航の年だ。それまで遡っての慰霊となれば、「国事」の意味が、列強からの日本防衛の意味を当初から帯びてゐたのは明らかです。また「草莽有志」といふ表現から、元々は正式な皇軍のみならず、在野で志に斃れた人々をも祀らうとされた事、また、志操の顕彰と慰霊といふ二つの目的も当初から明示されてゐる。そして、実際に各藩に戦死者の名簿提出を求め、それに基づき、合祀と慰霊が始まります。

武家政権から天皇に権力が「奉還」されるのは七百年振り、天皇ご自身が政治権力を握つてゐた時となると更に二百年遡らねばならず、本格的な国家建設としての王政復古の先例はない。だから、正統性の根拠を求めるために、王政復古の大号令は「神武創業」まで戻つて語られねばならなかつた。その上、明治天皇は十七歳の幼帝、おまけに政府中枢は公家と西郷や大久保ら下級武士です。天皇の権威に国家が帰趨するか、全く分からぬ極端に不安定な状況だつたと言ふべきでせう。新政府のやる事は、当初、全てが博打だつたと言つていい。

そんな状況下で、明治国家は、政権掌握と同時に無名戦士たちの慰霊の社を創ると発想し、それを天皇の御心として布告した。しかも大きな労の掛かる慰霊・神社創建を、当事者らが必要を全く疑ふ事もなく着々と進めた。戦死者の顕彰は古今東西見られるが、懇ろな神事としての慰霊から国肇めをする例は余りないのではないでせうか。

そして、それが仏式でもなく、国家による無宗教の慰霊でもなく、神社の形をとつた事。新政権発足時におけるこの判断は、恐らく、当事者が考へてゐた以上に近代日本といふ新しい国のその後の形を暗示してゐる。祭政一致を理念とする皇室の民を思ふ祈りと、亡くなられた御霊を神祀る日本人の心の習俗と、近代的な意味での政府による無名戦士追悼とが、期せずして合一したのが靖国神社だと言へるからです。如何にも日本らしい重層的な場だ。様々な慰霊の伝統と近代国家としての兵士顕彰とが混然と一つになつて違和感を生じないところに、日本の国柄がよく表れてゐる。

「国立追悼施設」といふ倒錯しきつた空想

梅原猛氏などは「靖国神道は自国の犠牲者のみ祀り、敵を祀ろうとしない。これは靖国神道が欧米の国家主義に影響された、伝統を大きく逸脱する新しい神道」だからだ、怪しからん、と言ふ。そんな簡単な話ではない。伝統的な習俗となつてゐた自然神道、神社神道は勿論素晴らしい。だが、それらの信仰、世界観だけではあの時、日本は持たなかつた。天皇の為に死ぬ、この気魄を直接に受け止める場が必要だつた。さうした神道が「伝統を大きく逸脱する」かどうかは、記紀万葉をひもとけば大いに疑問としなければならないが、仮にさうだとしても、それも無理はなかつた。伝統から遥かに逸脱した恐ろしい現実が海の向かふからやつてきてゐた。新しい信仰、新しい力、新しい求心力が必要だつたのです。それがもし歪みならば、さうした近代日本の定めの悲しみや歪みを含めての靖国神社だ。何故それをこの人は居丈高に断罪しようとするのか。

また、小泉首相の参拝が問題になつてゐた頃に書かれた高橋哲哉氏の『靖国問題』（ちくま新書）、私には元々「靖国問題」は存在しないので今回初めて読んだが、いや、驚きました。紙幅の都合で氏の詐欺論法の数々をご紹介できないのが残念だが、結論だけ言へば、氏によれば、靖国神社は戦死者顕彰＝再度国民を戦争に駆り出すシステムである。そのやうなものは戦後の平和憲法の趣旨に反するから、国家とは完全に切り離すべきである。その上で「非戦の意志と戦争責任を明示した国立追悼施設が、真に戦争との回路を断つことができるためには、日本の場合、国家が戦争責任をきちんと果たし、憲法九条を現実化して、実質的に軍事力を廃棄する必要がある」といふ。靖国といふ怪しからん追悼施設の代はりに、氏の理想とする国立追悼施設をつくるために、日本は軍事力を廃棄せよといふ訳だ。倒錯しきつてゐる。「国立追悼施設が、真に戦争との回路を断つことができるためには」、世界中の国と人類の思考の中の「戦争との回路を断つ」以外、一つも方法はありません。「追悼施設」が「戦争との回路」になるのは、施設がシステムに力を与へてゐるからではない。日本が第九条通りの完全軍備撤廃をしないからでもない。エピグラフに出した小林秀雄の言ふ通り「戦は好戦派といふ様な人間が居るから起るのではない。人生がもともと戦だから起る」からだ。

両氏に共通するのは、靖国を断罪し、無い物ねだりしながら、文体や論法に、靖国の祭神のみならず、戦死者全般への慰霊の心情が、嫌になるほど感じられない事です。高橋氏の追悼施設の議論が、ここまで空想的になるのは、そんなものには本来氏が何の関心もないからに他なるまい。事実、氏は本書の中でポロリとこんな事を書いてゐる。

集団的な追悼や哀悼の行為が、それ自体として「悪いこと」だとは私は思わない。

こんな文章を平気で書ける人間が、靖国に限らず、戦争や戦死者について論じる事自体、猥褻(わいせつ)だと私は思ふ。

徐々に強まつてゐた英霊への意識

維新の後、近代日本は戦争に継ぐ戦争でした。靖国神社も、この後、西南戦争、日清戦争、日露戦争、第一次世界大戦など、内外での戦争の度に、戦死者を祀つてゆきます。

そして、天皇の御親拝も度々の事となる。その祈りの御心は、例へば次のやうな御製(ぎょせい)に示されてゐると言へるでせう。

招魂社にまうつる時よめる
わが国の　ためをつくせる　ひとびとの　名を武蔵野に　とむる玉垣（明治七年）

たたかひに身をすつる人多きかな　老いたる親を　家にのこして（明治三十七年）

暁寝覚
あかつきのねざぬねざめに思ふかな　国に尽くしし人のいさををを（明治四十四年）

しかし、この間、慰霊と顕彰の場として、特に国民に広く靖国神社が浸透してゐたかといふと、必ずしもさういふわけではないやうです。寧ろ靖国は、長らく招魂社といふ、当初付けられた名前で東京の庶民に親しまれる公園の側面が強かつたやうだ。明治期の各種の東京名所案内にも、境内の木々花々の美しさが繰り返し紹介されてゐる。祭りの賑(にぎ)はひも大変なものだつたらしい。川端康成の文壇的処女作と言へる『招魂祭一景』は靖国神社秋の例大祭での境内の祭りを描いてゐますが、曲馬団による馬の火潜り、八木節の小屋、魔術小屋などが並び、「靖国神社の境内だけが気違(ママ)ひじみて騒がし」いといふ程の賑はひだつたといふ。ちなみにこれは大正十（一九二一）年の作品です。

勿論、日露戦争では八万人の戦死者が出、川端の作品の数年前に終結した第一次世界大戦でも五〇〇〇人近い戦死者が出てゐます。さうした中、靖国の英霊への国民の意識が徐々に強まつてゆくのは自然な事でせう。田山花袋の『東京の三十年』には「九段の公園」の章があつて、青春の思ひ出がロマンティックに語られる一方、次のやうな文章も見受けられる。

「今に豪(えら)くなるぞ、豪くならずには置かないぞ」かういふ声が常に私の内部から起つた。私はその石階を伝つて歩きながら、いつも英雄や豪傑のことを思つた。国のために身を捨てた父親の魂は、其処(そこ)を通ると、近く私に迫つて来るやうな気がした。

花袋は自然主義文学流行のきつかけとなつた『蒲団』の作者だ。下宿に来てゐた女学生に恋して、最後は彼女の蒲団(ふとん)の移り香をかぎながら泣いたといふ、まあ情けない話だが、要するに恥づべき「告白」をする花袋の「勇気」が新しい文学の季節の到来を告げたといふのが文学史の通説です。儒教モラル、旧家の重圧、近代国家の急成長——その狭間に零(こぼ)れ落ちてしまふ私情にこそ人間の真実があると花袋は考へた。ところが、その花袋でさへ、一方では西南戦争で戦死した父を靖国と重ねるこんな強い国家的な心情を自然に持ち合はせてゐた、それが明治日本だつたのです。

だが、靖国神社を靖国神社たらしめる強い求心力はまだ発生してゐません。

では、靖国神社が、大きく変質し始めるのはいつ、どのやうにしてか。それは、支那事変を通じて戦局が泥沼化し、戦死者数が急増する過程、そして何と言つても大東亜戦争を通じてでした。

戦地に行くだけで命を捨てる覚悟をせねばならない、そしてまた、それが国運と日本の国柄を賭けた戦ひだといふ自覚が国民に浸透してゆく。徐々に「皇軍兵は散華したら靖国に戻り、天皇を始めとして我々生きる者はその英霊を祀り、顕彰する」といふ「靖国の思想」が、国民の間に強く共有されてゆく。

この過程を、先にご紹介した高橋氏の議論のやうに、戦争に国民を駆り立てるシステムと見て、当時の大仰な慰霊祭や軍国教育やマスコミの軍国プロパガンダから、その「証拠」を集めてくる事は容易です。戦意高揚も軍国教育も、あの厳しい国際環境の中での日本の異常な孤独を考へれば、必然だつたらう。私は後知恵で、それを批判するつもりも、逆に賞揚するつもりもない。どんな時代も、その時代の最も深い精神が、さうしたプロパガンダに宿つてゐる事は決してない。「靖国の思想」の中核は、そんなところには全くない。

国民の側が身を捧げて応答した言葉

残念ながら、今の私には、「靖国の思想」といふ難問を解くだけの準備も力量もありません。しかし、これを解く鍵がどこにあるかだけは分かつてゐる。靖国神社が発行してゐる『英霊の言乃葉』つまり英霊たちの遺書がそれだ。今、一〇集を数へるこの本を静かに通読してゆくと、どの頁にも、現代日本人よりもずつとしなやかで多様な精神の自由、国と己の運命への批評の自由を確保した人達の言葉を見出して驚かざるを得ない。自由な精神をちつとも失つてゐないのに、一様に、自然に静かに清らに、国のための死を受容してゐるその言葉の佇(たたず)まひに打たれざるを得ない。

政府とマスコミ挙げての戦意高揚と、これらの遺書に見られる静かな調子とは、寧ろ、対極にあると言つていい。これら英霊のどの遺書も、肩肘ばつたあの硬直を微塵(みじん)も示してゐない。そこには一貫して、全く不思議なほど、自由な精神、温かい人間性、正直な言葉だけが並んでゐる。

この『英霊の言乃葉』を読むと人は泣くでせう。私も涙なくして読めた例(ためし)がない。しかし、何故我々はこんなにも心打たれるのか。古来、世界中には、無数の戦争文学が存在する。しかし、こんなに胸から溢れる共感と嗚咽(おえつ)で、我々を満たし続ける戦争文学など、『オデュッセイア』であれ『平家物語』であれ、実際にあるものではない。

この力は何なのか。死にゆく者の実際の言葉だからといふ事もあるが、単にそれだけで、勿論、人はこんな風に心打たれるものではありません。

英霊の遺書は、多く、国の為に死ぬといふ事は、天皇の為に死ぬ事であり、それは大義の為だと語つてゐる。天皇の為といふのが洗脳の結果としての個人崇拝であるやうな遺書は見られない。狂信的なものはない。なさ過ぎると言へるほどだ。矯激(きょうげき)な、我一人真理を告げんと言はんばかりの調子のものも全くない。

そして、家族への感謝、先立つ親不孝への詫(わ)びの中に、しばしば「日本一の父上、母上だ」「君は僕にとつて日本一の妻だつた」といふ家族への誇りが語られる。

無論、葛藤はある。時に赤裸々な葛藤がある。あるいは葛藤を克服した後の晴朗さだけを家族に語つてゐる者もたくさんゐる。どちらも本当の言葉だ。彼らは死を前に、名誉を語らない。近代的な戦争遂行システムとしての「顕彰」を胸に死にゆく者はないやうである。力みもなく嘘もなく、彼らは一様に、素直に自分を差し出す。殆ど自然な笑顔で死を迎へる彼ら。無限の慈(いつく)しみ、無限の悲しみ……。どれ程後ろ髪引かれながらも、彼らは晴朗に死んでゆく。

何故それができるのだらう。一つ確かな事がある。どの英霊の言葉からも共通して浮かび上がるのが、一言で言へば、日本への一杯の愛情だといふ事だ。それも私が今、冷房のきいた部屋で、完備された書籍と機械に取り囲まれながら「日本への一杯の愛情」などと書けばそれだけで汚してしまふやうな、言葉に置き換へにくい、余りにも微妙で透明、死を見据ゑた人だけの智慧と力に溢れた、日本への愛情です。

この迸(ほとばし)る愛にこそ、おそらく人は打たれ、涙する。それは、「玉砕」とか「国威」「神州の尊、神州の美」とか「悠久の大義」「大君(おおきみ)と愛する日本の山河」などと、彼らが使ふ単語やフレーズだけ抜き出してしまへば、消えてしまふ。ところが、これらの言葉が、遺書の中に戻ると、何と確かな他に置き換へやうのない絶唱として響く事でせう。

ある英霊は言ふ。

　玉砕してその事によつて祖国の人達が少しでも生を楽しむ事が出来れば、母国の国威が少しでも強く輝く事ができればと切に祈るのみ。
遠い祖国の若き男よ、強くたくましく朗らかであれ。
なつかしい遠い母国の若き女達よ、清く美しく健康であれ。

(『英霊の言乃葉一』五〇頁)

また、別の英霊は、特攻の出撃前の遺書に言ふ。

この日本の国は、数多くの私達の尽きざる悲しみと嘆きを積み重ねてこそ立派に輝かしい栄えを得て来たし、又今後もこれあればこそ栄えて行く国なのです。私の母上はこの悲しみに立派に堪へて、日本の国を立派に栄えさせてゆく強い母の一人である事を信じたればこそ、私は何の憂ひもなしにこの光栄ある道を進み取る事が出来ました。

(『英霊の言乃葉一』四一頁)

硫黄島玉砕の栗林忠道中将の最後の電報も引かう。

……特に本島を奪還せざるかぎり皇土永遠に安からざるを思ふ、たとへ魂魄となるも誓つて皇軍の捲土重来の魁たらんことを期す。今や弾丸尽き、水涸れ、戦ひ残れる者全員愈々最後の敢闘を行はんとするに方り、熟々皇恩の忝さを思ひ粉骨砕身亦悔ゆる所あらず。

(『英霊の言乃葉一』三五頁)

英霊たちは皆、かういふ死を死んだ。しかし、何故かういふ死を、皆が皆、きつぱりと死ねたのか。それは、残された者が、生き残つた者としての全力で、日本の国柄を、死力を尽くして守つてくれる事を信じきつてゐたがゆゑではなかつたか。たとひ敗戦になつても――戦争末期の遺書は、その予感を強く感じさせるものが多くなりますが――その後、光栄ある祖国の再建、東亜の解放といふ戦争の大義、そして何よりも日本人が引き続き立派な美しく強い日本人であり続ける事を、信じたからではなかつたか。「魂魄となるも」「護国の鬼と化さん」といふやうな事は、残つた生者らが、生者として、捲土重来を期す事を信じ切つてゐなければ、書ける言葉ではありません。

無数の遺書の自由な声が、共通してそのやうな調べを深く響かせてゐるとすれば、これは確かな一つの思想と呼ぶべきではないか。いや、思想といふよりも、神学と呼ぶべきではないか。

客観的に見るならば、歴史過程におけるすべての戦争は、正しいのでも悪いのでもない、ただ端的な戦争である。すべての戦争は「普通の戦争」なのだと言つてもよい。

しかし、その「普通の戦争」のただなかに、或る「絶対的なもの」がたちあらはれてくることがある。それは、おそらく世界の歴史を見わたしても、めつたにあることではない。また、それは、そこに居合はせたすべての人に見えるものでもない。むしろ、ほんの少数の人の目にしか映らないと言へるかも知れない。けれども、それは何らかの形で、その同時代の人々、あるいはその後の人々にまで感知されうるものであつて、大東亜戦争のうちには、確かに、さうした「絶対的なもの」が含まれてゐたのである。

（長谷川三千子『神やぶれたまはず　昭和二十年八月十五日正午』二九頁）

神学とは何か。端的に言つて、それはこの「絶対的なもの」のたちあらはれであり、言語化である。そして、無数の日本軍人が、戦死を前に、この「絶対的なもの」の気配に包まれて書いた最後の言葉が英霊の遺書だつたのではないでせうか。長谷川氏のこの名著は信じ難い力技で、「戦後」から遡つて、八月十五日そのものの意味を抉（えぐ）り出してゆきます。その「力技」が読者をどこに導くかは、原著に当たつて直接通読していただく他ありませんが、私は、逆に、今、その八月十五日に向かつて収斂してゆく二三〇万の英霊の声に、神学の誕生を聞かうと耳を澄まし始めてゐるところです。

＊

明治初期、戦死した無名の民（おほみたから）を天皇政府が、神様としてお祀りしたのに対し、国民の側から進んで身を捧げて応答したのが、正にこれらの英霊たちでした。近代日本創建時に顕（あきら）かにされた国柄に、国民の側が死をもつて応答した時の言葉が英霊の遺文となつた、ここに、民族の魂の神話的な相聞（そうもん）が成立する。靖国神社とは、このやうな相聞の場所である。大東亜戦争を通じて、靖国の本質が現れたと私が云ふのは、その事を指してなのです。

靖国の神学・私論（後編）——靖国参拝の国民運動化を

（『Voice』平成二十五〈二〇一三〉年十月号掲載論文を改稿）

歪められた日本人としての記憶

私は、前項で、靖国神社を「近代日本における国柄の中核的価値」であるとし、議論を三段に分けました。第一に、明治維新の靖国創建の意義、第二に、大東亜戦争を通じて「靖国の神学」とも言ふべきものが立ち現れた事の意義、第三に、戦後日本がさうした重大な意義ある靖国神社をどう扱つてきたかとし、前項では、その内、第二までを論じた。特に「靖国の神学」に関しては、私は、それを、大東亜戦争で散華（さんげ）した英霊たちの遺書——靖国神社から出版されてゐる『英霊の言乃葉』集に求めました。

では、これら英霊たちの思ひ、そして、そこに凝結した神学に、今の日本はどう答へてゐるか、これがここでの論点だ。我々は「母国の国威が少しでも強く輝く事」を祈つて玉砕した若者に、真摯に答へようとしてきたか。遺書に託された、生き残つた日本人への切望、「尽きざる悲しみと嘆きを積み重ねて」「日本の国を立派に栄えさせてゆく強い」日本人たれとの祈りに、恥ぢぬ生き方をしてきたか。「たとへ魂魄となるも誓って皇軍の捲土重来の魁たらんことを期」した硫黄島玉砕の指揮官、栗林忠道中将の誓ひを、少なくとも心中忘れずに、捲土重来の意味を自問自答し続けてきたか。

問ふだけでも虚（むな）しい。なるほど、心の中で彼らを片時も忘れぬ有志は多数ゐたでせう。戦友の死を無駄にできぬと必死に戦後に節を貫かうとした尊い先人を私も何人も知つてゐる。しかし、「戦後」全体として、そして「戦後」の公的な社会のありやうとして、また「戦後」的なるエートスにおいて、我々は、たつた一つでも、幾万と知れぬ英霊の最期の言葉、最後の希望に答へてきたか。寧ろ、全く素通りし、なかつた事にし、精々、単なる個人的な物語の次元に置き換へ、彼らの最期の言葉に「国」として耳を澄まし、その意をとらへ直す事からとことん逃げ続けた。これこそが本当の「靖国問題」であるといふ事——これが、これから述べる第三の論点です。

戦後、久しい間、実は、靖国神社には昭和天皇も繰り返し御親拝され、また、吉田茂首相以来、歴代首相の参拝も何の滞りもなく行はれてきました。従つて靖国を巡る状況だけを見れば、昭和四十年代は、今よりノーマルだつたとも言へる。しかし、日本国全体としてはどうだつたか。

マスコミや学界は、総出で、戦前の日本を軍国主義と決めつけ、全否定し、記憶を歪め続けた。教育は自虐史観とマルクス史観のごつた煮、国民は、ひたすら経済成長と個人の幸福追求だけに励み、日本人としての記憶を全面的に失つてしまつた。その中で、靖国の祈りも、靖国といふ神学も、要するにまるで顧みられなかつた。たつた数年前、十年前、二十年前に二三〇万の英霊が国の為に命を擲つたその覚悟、その誓ひ、生者に託された祈りを、我々はまるで見ないやうにして、生を盗んできた。

さうして、つひに、記憶と誇りを失つてまで手に入れた繁栄にうつつを抜かしてきた戦後日本人の心の腐食が、「靖国の神学」ではなく、「靖国問題」として大々的に表面化する時が来る。

昭和五十（一九七五）年、三木武夫が歴代首相で初めて八月十五日に靖国に参拝した時に、それは端を発します。それまで歴代首相の参拝は春秋例大祭が中心でした。三木はわざわざさうした慣習を覆して八月十五日に参拝したわけです。前項で述べたやうに、靖国の本来の面目は、大東亜戦争によつて明らかになつたと言つてよい。とりわけこの戦争の時に英霊たちが靖国で相会する事を誓ひあつて散華したのだから、例大祭と別に八月十五日に参拝する事には本質的な意味がある、三木の英断だと言ひたいところです。

ところが、三木は、せつかく八月十五日に参拝しておきながら「参拝は、公人としてか、私人としてか」といふ記者団の質問に、「総理大臣としてではなく、私人としての参拝だ」と答へてしまふ。総理たる者が、総理以外の資格で国の為に命を落とした御霊の慰霊に訪れるなどといふ非常識な話が世界中であるわけがない。

曖昧且つ極端な日本国憲法の規定

勿論、こんなくだらないやり取りが出て来るのは、ここに政教分離の問題が絡んでくるからだといふ事になる。これから一応論破はしておきますが、そもそも、行政の長が伝統的な慰霊施設に、憲法が障害となつて自由に参拝できないなら、そんな憲法は憲法として成立してゐない、これ以上言ふ事は本当はないのです。風呂屋の看板に男湯と書いてあるが、中を覗くと全員女が入つてゐる。これは間抜けな看板屋（ＧＨＱ憲法草案作成者）が看板を掛け間違へたからだ。ところが、この偽看板を直せないと思ひ込み、中の女を男とみなすと言つてみたり、既に何十人も入つてゐる女を追ひ出して、男湯と入替へようとしたりして、混乱の上に混乱を重ねてきたのが、戦後日本の風呂屋の番台（東大憲法学）だ。要するに、日本国憲法といふのは間違ひだらけの風呂屋の看板なのです。

政教分離とは何か。憲法二十条と八十九条が法的な根拠となつてゐるのはよく知られてゐる事でせう。

憲法二十条

①信教の自由は、何人に対してもこれを保障する。いかなる宗教団体も、国から特権を受け、又は政治上の権力を行使してはならない。

②何人も、宗教上の行為、祝典、儀式又は行事に参加することを強制されない。
③国及びその機関は、宗教教育その他いかなる宗教的活動もしてはならない。

憲法八十九条
公金その他の公の財産は、宗教上の組織若しくは団体の使用、便益若しくは維持のため（略）
これを支出し、又はその利用に供してはならない。

これらの条文に基づく「政教分離」規定について、東大憲法学のバイブル、芦部信喜『憲法』（岩波書店）第四版には次のやうな三つの主要形態があると書いてある。

①国教制度を建前としつつ国教以外の宗教に対して広汎な宗教的寛容を認めるイギリス型、②国家と宗教団体とを分離させながら、国家と教会とは各々その固有の領域において独立であることを認め、競合する事項については政教条約を締結し、それに基づいて処理すべきものとするイタリア・ドイツ型、③国家と宗教とを厳格に分離し、相互に干渉しないことを主義とするアメリカ型がある。

から書いた上で、芦部は実にさらりとかう言つてのける。

日本国憲法における政教分離原則は、アメリカ型に属し、国家と宗教との厳格な分離を定めている。

芦部は、この一文に何一つ注釈をつけず、話を前に進めてしまふ。信じ難い事だ。

第一、条文そのものが、アメリカと日本では全く違う。

日本国憲法は先に紹介したが、アメリカ合衆国憲法の政教分離規定は、次の修正第一条です。

合衆国議会は、国教を樹立する法律もしくは自由な宗教活動を禁止する法律（略）を制定してはならない。

アメリカ憲法のこの条文は、簡潔で誤解の余地はない。個人の信教の自由を定めたものに過ぎない。ただ、アメリカの政教分離が他のヨーロッパ諸国より厳格だといふのは、建国後の不安定な情勢下、宗派争ひの確執を防ぐため、国教の樹立を否定した点を指すのではないのか。少なくとも芦部氏の三種の分類を見る限り、さうとしか読めない。にも拘らず、芦部氏はこの後「国家と宗教との厳格な分離」といふ言葉を欧米キリスト教社会から独り歩きさせ、いつの間にか、アメリカの憲法が禁止してもゐない水準の「厳格な分離」を日本国憲法に要求してゆきます。

それには都合のよい事実がある。日本国憲法の規定が、実に複雑、曖昧且つ極端だといふ事だ。

日本社会は、様々な宗教が混然と政治と関係しながら成熟してきた。欧米同様、政治と宗教を完全に峻別(しゅんべつ)などできる筈はない。「国及びその機関」は「いかなる宗教的活動もしてはならない」とあるが、これを厳密に適用したら、政治から精神生活や伝統をすべて排除せよといふ、日本の国柄そのものの否定になつてしまふ。逆に、「宗教活動」とは何かを問ひ始めれば、これ又きりがなくなつてしまふ。その上、「特権」とは何か、「宗教団体」とはどこまでを指すべきか、その「宗教団体」が行使する「政治上の権力」とは何を意味するかなど、概念が全般に余りにも曖昧です。これでは、政治と宗教の関係といふ国の骨組みに当たる部分で、裁判官の政治信条や不当な個人的裁量が幅を利かせる原因になる。

事実、現在まで何件も提訴されてきた靖国裁判は、実にナンセンスな判例の山だ。例へば愛媛県知事が靖国神社に玉串料を支出した件について、最高裁判決は「特定宗教への関心を呼び起こす効果を及ぼしたとし、『宗教活動』に当たると判示した（芦部前掲書一五七頁）」。こんな事まで「宗教活動」にされたら、宗教団体への表敬訪問も全て駄目、宗教団体が経営する学校で式辞を述べるのも駄目、行政や立法関係者がブログや著書で宗教的な内容の記述をするのも駄目になる。

また、天皇陛下と総理大臣の靖国神社公式参拝を違憲とした大阪高裁判決に至つては、判決理由の中に、「国民の圧倒的合意」ができてゐない事、更にはアジア諸国から反発と疑念が表明された事が挙げられてゐる。裁判は法的根拠を示すのが職分で、輿論調査の数字や外国の意向などが判決の根拠になつてよい筈がないではないか。

要するに日本国憲法の政教分離の条文はアメリカとは全く別物だ。前者が個人の信教の自由の保障であるのに対して、後者は政治への曖昧且つ極端な禁止を持ち込んでゐるため、司法関係者が問題を複雑化しようとすればどんな結論でも引つ張り出せる非常に危険な条文なのです。

第二に、そもそも芦部氏の挙げた三つの分類は全て根つからのキリスト教社会です。キリスト教社会における政教分離規定は、社会に深く根を下ろしたキリスト教と近代の政治機構との調整を図るもので、両者の厳格な分離などではない。よく知られてゐるやうに、アメリカ大統領はキリスト教徒である限り聖書に手を置き宣誓する。演説にはしばしば神の加護を祈り、神の栄光を称へる文言が登場する。アメリカ議会は聖職者の説法で開会する。議会と軍隊にはプロテスタント、カトリック、ユダヤ教の専属の聖職者がゐる。

ただし、他宗教の者が祈りを強制される事はない。要するに政治が個人に宗教を強制しない、ただし、宗教伝統が政治に曖昧且つ深く関与してゐる事態を否定などしない。

それを、芦部は、アメリカの実情に全く触れず、アメリカでは「国家と宗教の厳格な分離」が行はれてゐるなどと実にあつさり嘘をつく。それどころかアメリカにおける判例の方が日本での判例よりも「厳格」だと思はせるやうな記述をもぐりこませる。その上で、日本国憲法の条文を最も厳格に解釈しようとする。
　極端な本末転倒がここに生じます。

司法権力や学界権威の知的腐敗と暴力性

　日本では、神道・仏教・儒教がそれぞれ混然と発展しながら、政治と分ちがたく結びついてきた。さうした我が国の伝統的な政教の絡み合ひ、睦み合ひの中心に天皇といふ伊勢神宮の祭神の末裔がをられ、今日でも天皇の御務めの最も主要な部分は祭祀である。もし「政教分離」を芦部や最近の判例のやうに厳格に規定するならば、そもそも天皇の御存在そのものが「政教分離」違反の違憲になるではないか。天皇の御存在と、世界でも類のない厳格な政教分離規定は、そもそも矛盾するのです。

　その天皇伝統と、時々の政治権力とが複雑に絡み合い、それが、日本人の末端に至る政治生活、宗教生活、習俗と様々に交叉し、共鳴し、日本社会の精神生活は形成されてきた。一筋縄ではくくれぬ無限に複雑な歴史的現実がある。さうした複雑な歴史的現実と近代国家としての骨格をどう調整するか、憲法は本来ならその観点から制定されなければならない筈であつた。憲法制定については、GHQ民生局の法律の素人が十日でつくつた事がしばしば難じられるが、問題として、遥かに深刻なのは、彼らアメリカ人が、日本の国柄＝constitution を全く知らずに条文を作成した事の方だ。その上、この二十条は、彼らが戦前の国家神道を誤解した上でその壊滅を含意してつくつた条文だ。本来の constitution の原義に立ち返れば、憲法の条文そのものが明らかに「違憲」なのです。

そして、本来の我が国の国柄から導かれたのではない条文、我が国の歴史的現実と近代国家とを調整する意図を最初から持たない条文が、独り歩きして、我が国で続いてきた政教伝統や習俗を逆に裁く。いや、先ほど見た通り、実際には裁判官や憲法学者の恣意（しい）が、我が国の伝統や習俗、国柄そのものをさへ裁く事になる。

七十年近くも、司法と法学の最高権威者らが、そんな事を真面目で丁寧な議論をしてゐる振りをして、続けてきた。その知的腐敗は眼を覆ふべく、その司法権力や学界の権威としての、国柄を破損する暴力性は、穏便で客観的な学問上の権威で偽装されてゐるだけに、眼に見える革命政権の暴力などよりも遥かに国民を欺くものと言はねばならない。何とたちの悪い話でせうか。

靖国に御参りするとは、祀られた神々との対話である

しかし、かうした司法の横暴とは別個に、政治の世界では、三木の後、歴代総理が、私的参拝と言ひながらも、八月十五日の参拝を続けました。今当時の新聞紙面を振り返ると、その不快さたるや言語に絶します。首相が参拝する度に、公式だ、私的だ、どつちにしたつて政教分離違反だ、軍国主義の復活だと一面五段ぶち抜きの大見出しで、靖国そのものを、祀られてゐる二三〇万の英霊を、冒瀆（ぼうとく）し続けた。

からした法曹界とマスコミの挟み撃ちに業を煮やしたのが中曽根康弘氏でした。中曽根氏は首相の公式参拝を有無を言はせぬ形で定着させようとした。その為に「閣僚の靖国神社参拝に関する懇談会」を設置し、公式参拝を是とする報告を纏めた上で、昭和六十（一九八五）年の八月十五日に、「内閣総理大臣としての資格」で参拝しました。ところが、その後にとんでもない事をしでかす。中国の抗議を受けて、参拝を取り止めてしまつたのです。中曽根氏の他の全ての実績が吹き飛ぶ、万死に値する腰砕けでした。

ご本人はいまだにしれつとした顔で、「家族ぐるみの付き合ひのあつた胡耀邦主席から参拝を遠慮してくれないと中国の収まりがつかないと懇願されたから取り止めた。親日政権をつぶすわけにはゆかない。これが大人の外交だ」と言つてのける。日本の首相の靖国参拝で中国の政治家が本当に失脚するならば、これは見物といふものだらう。騙されたのか、開き直つてゐるだけか知らないが、この中曽根氏の言ひぐさには全く言葉を失ふ他ない。以後、靖国参拝は、日中間の最大の問題、それも日本が屈服し続けるといふ常軌を逸した外交問題であり続ける事になつてしまつたのです。

だが私は今ここで氏を改めて断罪しようとは思ひません。中曽根康弘個人が駄目だといふよりも、戦後日本人の精神的、霊的な不感症が、中曽根氏といふ政治家において露呈したに過ぎないからです。日本人の死生観の深さ、霊的感受性と敬虔さ、靖国の英霊への真の祈り――戦後日本のさうした精神生活の不在が、法曹界の政教分離解釈や一連の靖国判決となり、マスコミの売国騒ぎとなり、三木、中曽根氏らの腰砕けとして現れた。それが、今や外国からの干渉に振り回され、皇室と日本の政府は、完全に自由な言動を奪はれ、そんな異常な屈辱を、国民の多くはどれ位異常かさへ感じられなくなつてゐる……。

我々が帰るべきはただ一つ、「靖国の神学」であり、英霊の御霊（みたま）との霊的な交流への強い信仰である。そこがしつかり取り戻せない限り、靖国は問題であり続け、屈辱的な敗北を重ね続けるでせう。

我々は靖国で何に出会ふのか。英霊の御霊である。つまり、靖国に御参りするとは、祀られた神々との対話である。祀られた英霊に対して国安かれと祈る。霊的な国の加護を祈る。靖国の神力を深く信じて祈る。そしてまた、一方で、今生きてゐる、生者の側として責任をもつて国を安泰にし、発展させ守つてゆく事を神々に御誓ひ申し上げる。捲土重来の意味をどう我々が受け止めるかを、本当に我々の国づくりの一番根本に据ゑて自問自答し続ける。これが靖国といふ場の意味である。

だからこそ、日本の政治リーダーである総理大臣が靖国に公式参拝して、国民に率先してそれを示すべきなのです。それも春秋例大祭と並び、どうしても八月十五日の参拝を習はしとしなければならない。ここまで書いてきたやうに、靖国の在り方を完成させたのは大東亜戦争だからです。

爆撃にたふれゆく民の上をおもひ
　いくさとめけり　身はいかならむとも

言ふまでもなく、昭和天皇の御製です。大東亜戦争に賭けられた英霊たちの思ひと、それを受けながら、つひに御決断された終戦……。その交点が八月十五日である。この日の正午に玉音放送を国民が共有した、この瞬間を、総理が、そして近い将来には天皇陛下御自身が、靖国で祈られる、それが「靖国の神学」の継承であり、日本が本当の意味で己を取り戻す第一歩なのです。

〈参考文献（五十音順）〉

芦部信喜『憲法』第四版　岩波書店
飛鳥井雅道『明治大帝』講談社学術文庫
梅原猛『神殺しの日本』朝日新聞社
江藤淳・小堀桂一郎編『新編　靖国論集』
川端康成全集二巻「招魂社小景」新潮社
小堀桂一郎『靖国神社と日本人』ＰＨＰ新書
佐伯彰一『神道のこころ』中公文庫
鈴木正一『昭和天皇のおほみうた』展転社

総理大臣官邸『諸外国の主要な戦没者追悼施設について』
高橋和之編『世界憲法集』岩波文庫
高橋哲哉『靖国問題』ちくま新書
長谷川三千子『神やぶれたまはず』中央公論新社
別冊宝島編集部編『ニッポン人なら読んでおきたい靖国神社の本』宝島社文庫
靖国神社編『英霊の言乃葉』靖国神社
『柳田國男全集』十三巻「先祖の話」「神道私見」ちくま文庫
山村明義『神道と日本人』新潮社

これからが本当の勝負だ

（『Voice』平成二十六〈二〇一四〉年三月号掲載論文を改稿）

当初の期待を遥かに超える活躍

平成二十五（二〇一三）年末、安倍総理が就任一周年を期して、靖国神社参拝をされた報に接した時、私は丁度その一年前の総理就任の日の事を思ひ出してゐました。その日の朝、私は眼が覚めた途端、涙が溢れ始めた。最初は、心からの念願が実現した事への、私自身の感慨による涙かと思ひました。何しろ、本当に嬉しかつたのです、安倍政権誕生といふ奇跡が！

ところが、いつまでも嗚咽（おえつ）が止まらない。朝、風呂に入り、その後原稿を書くのが習慣だが、風呂に入つても、涙が途切れる事なく溢れ続ける。何十分経つてもそれが続く。何の感情の波立ちもない。カムバックされるに当つての安倍氏の苦しみを思ふとか何とか言ふ、感慨の涙ではない。心は静かに澄み切つてゐる。雑念はない。ただ涙だけがはらはら、はらはらと流れ続けるのです。

ふと、私は、はつきり気が付いた。これは私の涙ではない、靖国神社の英霊の御霊が私の心身を通して、安倍政権誕生の安堵と喜びを伝へてゐるのだ、と。想像するとか、思ひ当るといふのとは違ふ、小林秀雄が昔ある所で使つた言葉を用ゐれば、私の中の「直知する精神」が、英霊の声を、この時、はつきり聞いたとより言ひやうのない形で、私は英霊の歓喜を体を通じて知つたのです。本当によかつたといふ彼らの歓喜が滾々と湧くやうに、体を貫き、それが涙になつて吹きこぼれ続けてゐる、それがはつきり分かつた。私は、風呂から上がると、嗚咽止まぬ中、ただちに早朝の靖国神社に参拝し、心からの感謝と、微力ではあるが、日本の為に安倍政権を支へ続ける御加護を、切に祈りました。

あの日から丁度一年——安倍首相は現職総理としての靖国参拝を粛々と実行された。一年前のやうに涙が出続けるといふ事はもうなかつたが、感慨無量でした。その日、参拝される安倍総理の映像を見ながら、理屈抜きに、とにかく私は嬉しくて、ならなかつた。

前項で論じたやうに、私は靖国神社を日本近代の中核価値と見てゐる。天皇陛下の御親拝も、首相の参拝も、昭和五十年代まで全く恙なく行はれてゐた。中曽根氏以前の歴代総理は在任中、皆頻繁に靖国参拝を繰り返してゐた。総理の靖国参拝は完全な日常であつた。

最近しばしば報道されるやうな、A級戦犯合祀をきつかけに中国の反発が始まり、それが今に至る問題の発端だといふのも全くの嘘です。合祀が明らかになつた後も、全く外交問題になつてゐない。外交問題化したのは、それから大分経つて、中曽根首相が、中国の圧力を受け入れて参拝を自粛して以来だ。つまり、外交カードに使へると中国に値踏みされ、中国の圧力に呼応して日本のマスコミが大々的に書き立てるといふ構図の中で、靖国は外交問題に意図的に仕立てられたのです。問題をつくりだしたのは中曽根さんであり、乗つかつて本当の問題にしてしまつたのは日本のマスコミです。中国が抗議しようとも日本のマスコミがベタ記事以下でしか扱はず、国民が首相の靖国参拝を当然と見做(みな)してゐれば、ぎりぎりの利害がぶつかる外交の世界で、神社参りなどが、本当に重大な外交問題になど、なりやうもなかつたでせう。先方にしたところで、労力の無駄だからです。

だが、一旦、外交問題になつてしまへば、中国にしても日本のマスコミにしても、後はごね得になる。日本の戦後保守政治には、今に至るまで、概して、強面(こわもて)で迫つてくる敵と戦はうといふ姿勢と気概がない。岸内閣の安保騒動以後、左翼の跋扈(ばっこ)が余りにも危険だつた為、ごねる奴には平身低頭しておいて、実(み)はこちらが取る、いはば「花より団子」が保守政治の基調となつてしまつた為です。靖国を始め、歴史認識を巡る一連の問題は、かうした戦後保守政治の「花より団子」精神がつくりだした途方もない徒花(あだばな)と言へるでせう。敵から見れば、世界中で靖国参拝=軍国化の象徴と宣伝してまはつておけば、日本の政治の首根つ子を押さへる薬効は年ごとにあらたかになる。相手は逃げたり、避けたり、釈明したりするばかりで、まづ本気で反撃のパンチを食らはして来ない。こんなに面白いゲームはない。

マスコミによる極端な輿論誘導

端的に言へば、それが「靖国問題」の「現在」であり、安倍首相の英断による参拝が実現したからと言つて、この「ゲーム」の「現実」が変つた訳ではない。

この度の安倍首相の参拝は、非常に嬉しかつたが、だからこそ、今直ちに我々が取り組むべき課題は、靖国参拝を今後どういふ最終解決に持ち込むか、といふ事だ。特に今回は中国、韓国のみならず、アメリカ、ＥＵ、ロシアなどから懸念が表明され、なかんづくアメリカからの「失望した」との声明は、逆に我が国の保守層を大層失望させた。『産経新聞』では即座に櫻井よしこ氏がアメリカを厳しく批判したが、このやうな国際常識に反するアメリカ政府の反応に、日本の民間が断乎（だんこ）ＮＯを突き付けるのは当然だ。

だが、一方で、この例は、アメリカの中国への「配慮」がただならない事を示した事も間違ひない。日本が中国に対してだけ毅然と対処してゐればいいといふ小泉時代と、国際環境は激変したのです。中国による日米離間、アジア覇権へのチャレンジが着々と功を奏してゐる事を表してゐる。しかも面倒な事に、靖国参拝は、他の歴史認識問題とセットとなつてゐる。中国が情報戦でそこまで持ち込んだとも言へる一方で、実際に、第二次大戦戦勝国側の日本への防衛本能が、安倍氏の歴史観に強い疑念を示したと言ふのも間違ひない。安倍首相の靖国参拝は、小泉氏のそれとは違ひ、正に「戦後レジームからの脱却」といふ世界観の戦ひを象徴する結果を齎（もたら）したと言へるのです。

さうした国際情勢の厳しさの中で、日本のマスコミは、安倍首相に総攻撃を仕掛けた。

テレビは、外国からのクレームの広告総代理店宜しく、連日連夜、靖国参拝よ、世界の大問題になれかし、靖国よ、英霊よ、問題となつて世界の非難に晒され、汚されよかし、安倍総理よ、二度と参拝しようものなら、今度は世界中から叩き潰されるぞよとばかりの、非難報道を垂れ流し続けた。『朝日新聞』は、「『信条』優先し強行」「強行参拝、孤立招く　米とすきま風、外務省懸念」と、国際社会からの孤立を印象付けようと躍起になつた。

かうした極端な輿論誘導を重ねた結果、確かに靖国参拝への国民の輿論は、熱烈な安倍首相支持とはならず、賛否は概して拮抗、又は参拝を否定的に見る論調がやや優勢といふ結果が出ます。マスコミの輿論操作によつて、我が国の国論は、靖国参拝に関して、さうなる必然性のない不毛な分裂を引き起こしてゐるわけだ。そしてその輿論の分裂に乗じて、外交カードとしての靖国は、益々日本に不利に働く結果となる。

安倍首相が、今後も、粛々と参拝を続ければ、自然に騒ぎは収まると楽観して、放置するわけにはゆかない。安倍首相個人の苦しい政治決断を参拝の度に強いるといふ状況そのものが異常です。例へば、週刊誌報道によれば、参拝の日、安倍首相は株価の動向を非常に気にされてゐたといふ。結果は年内最高値を出したが、政治決断は、さうした全てのバランスの中でなされなければならない。国力を殺ぎ、国益を損なふ決断は、どんな理念型の政治家でも、政治家である以上してはならない。だからこそ、保守派の我々は、ただ原則論を語つて、安倍首相に参拝継続を要求するのではなく、靖国問題そのものの解決の手順を考へなくてはならないのではないか。

最も好ましくないシナリオは、官邸、与党、財界、マスコミ実力者らが、首相の靖国参拝の自粛を強く働きかけ、安倍総理が、一度参拝したといふ手形を切つたといふ形で、在任中の参拝をもうしないといふ事態です。そして、靖国参拝が政権への重圧だといふ強い印象を残したまま、安倍政権が終はり、続く歴代総理大臣達が、靖国について封印し、首相の参拝が半永久的に困難になる事、その結果、天皇陛下の御親拝も又、政治問題化の危険といふ決り文句で不可能になる事でせう。これは現状を見る限り、充分あり得るシナリオだ。安倍首相だけは、機を見て再度参拝される事は充分あり得ても、続く総理達が、現在の靖国を巡る状況下で参拝する事は考へにくい。安倍氏の側近達が次々に総理に就任してくれればそれに越した事はないが、政務に専念してゐる安倍側近の真面目な政治家たちが、安倍首相の後、順調に総理の椅子を持ち回りで手にできるかどうか、保守派の我々が期待する程、事情は甘くないでせう。

国民的な場にしてゆく積極的な工夫を

靖国について考へるには、かうした最悪のシナリオを回避し、逆に、真の解決にまでたどり着くにはどうしたらいいかといふ事から発想しなければならないと思ひます。首相参拝で一喜一憂してゐる場合ではない。一度参拝されたから当座関心を失ひ、放つぽり出して、目の前の人参ばかり追ひかけるやうでは情けない。今、本当に先回りして手を打たねば、半永久的に取り戻せなくなる可能性の方が、依然として遥かに大きいのが靖国参拝なのです。

言ふまでもなく、ゴールは天皇陛下の御親拝と首相参拝が恒常化する事です。その為には、靖国参拝が、国際的に非政治問題化してゐるか、外国が政治化しようとしても、できない状況になつてゐなければならない。

靖国神社は明治天皇の大御心（おおみごころ）で始まつた戦没者の慰霊顕彰施設ですから、英霊は、天皇陛下が親拝されるといふ前提で、祀られてゐるわけです。現在は勅使下向（げこう）といふ形で天皇陛下がお心、お祈りを示されてゐますが、普通に考へれば、玉体をお運びになつて祈らせたまふ事が自然であり、明治天皇以来それが我が国での常態でした。ゴールは当然そこにある。

その為の方法論については、私も十分考へ抜いてはゐないが、国内と国外を両方視野に入れながら対応してゆくには、次のやうな論理的、戦略的な手順が必要なのではないか。

国内ではまづ、靖国についての輿論を一本化しなければならない。参拝是非に関して恒常的に三分の二以上、できれば四分の三以上が当然のやうに賛成する事態が目指されるべきだ。それこそが首相参拝、天皇御親拝の一番強力な後押しとなり、国際社会への最大の防御ともなる。

その為には靖国神社に関する正しい常識を、国民に周知徹底するのが望ましい。しかし、それを言ひ始めると堂々巡りが始まる。保守派の気合ひ一つで、靖国神社への正しい理解が周知徹底できる位ならば、靖国が問題になる事自体があり得なかつた筈だからです。

靖国の意味論の啓蒙といふ本来の方針をそのまま継続するのは、勿論言ふまでもなく必要ですが、一方で、参拝そのものを国民的なイヴェントにするといふ発想の転換も必要ではないか。いや、靖国神社は、保守回帰と、神社ブームとが相俟つて、既に若い世代が、お参りを愉しむスポットになりつつある。これを梃に国民的な場にしてゆく積極的な工夫が、我々には求められてゐよう。更に、海外旅行客の東京観光において外せない慰霊施設と位置付けてゆく努力も又必要でせう。海外からの観光客が安倍政権の外交回復とアベノミクス効果で一〇〇〇万人を初めて越え、これから東京五輪に向けて二〇〇〇万人へと政策展開するといふ。その中に、初めから靖国を組み込むのです。呉善花氏から伺つたが、彼女が初来日した時、靖国神社を本当に恐ろしい、おどろおどろしい場所だと思つてゐたといふ。我々は、既に、世界中でさうした誤解が蔓延してゐると考へて行動した方がいいのです。

　静謐な祈りの場を、スポットとは不謹慎だといふ勿れ。祈りと物見遊山は古今東西不可分だ。聖と俗とが存分に混淆する中から、本物の祈りを見出す人達が多数出現するので、靖国を保守原理主義によつて狭隘な場にしてはならない。そんな事より、物見遊山でもとにかく参拝にきてくれる人の絶対数が増える事が、敬虔な人の絶対数を増やす事にもなる。靖国の神力を信じようではありませんか。

　勿論、靖国の意義を浸透させる上で重要なのが、参拝客を遊就館に積極的に誘導する事なのは言ふまでもない。これもできれば方法的に仕組む必要がある。参拝客の多くが、遊就館を見学し、英霊の写真を見、遺書を読み、何を感じ、考へるか、それは若い世代や外国からの参拝者らの感受性に任せるべき事でせう。

以上は雑駁（ざっぱく）な問題提起に過ぎません。私が云ひたいのは、今、靖国を取り戻すには、靖国が特殊なイデオロギーを象徴する場だといふ位置づけを外してゆく事が必要であり、国民が靖国神社を自分たちの場所だと感じ、更に多くの人がこの場を訪れる事そのものが必要だといふ事です。

無論、これは靖国神社側に要求してゐるのではありません。ひたすら神域としての厳粛さを守り、祈りの純潔と場の静謐を守るのが神社側の使命です。私が云つてゐるのは、あくまで我々民間有志のキャンペーンの方針である。しかし、かうした事は結局、キャンペーンを引き受けてくれる有能な集団が現れない限り、空論に終はつてしまふのも事実です。そして保守派にはさうした意味での有能な広報と資金がない、これが残念ながら、我々多年の悩みでもあるわけです。

その意味で、靖国に関して、手近に今すぐできる別の手があるとすれば、それはまづ第一にマスコミへの抗議行動でせう。

マスコミへの抗議はどこから手をつけるべきか

マスコミ正常化については、草の根保守層に非常に大きな実績がある。それを忘れないでほしい、私はこの点を声を大にして言ひたい。

自民党総裁選で安倍氏が当選した折のカツカレー報道に端を発した、安倍バッシングへの、保守層の強烈なテレビ局攻撃です。あれは実に効果的だつた。数人のキャスターが謝罪に追ひ込まれ、『朝日新聞』の反安倍報道も沈静して、ごく真つ当な報道と公正な論評の日々が続きました。その効力は、何と政権発足後の四月位まで続いた。

保守主義を標榜する政権に、新聞・テレビメデイアがここまでおとなしく、公正な約半年の静観――これは戦後マスコミ史上、全く類を見ない現象です。その最大の要因は、間違ひなく草の根保守の「安倍を守れ！」といふ団結と即座に動く強烈な抗議行動だつた。その抗議は実際に正当なもので、罵詈雑言や下品な喧嘩とは違ひました。例へばその後、昨秋の消費増税反対キャンペーンが、根拠不明の陰謀論による財務次官個人攻撃へと過激化したのとは違ひ、カツカレー事件の頃の抗議行動は、人間的な筋が真つ当で、イデオロギーを超えて共感できる批判だつた。だから、あの時テレビも『朝日』も、あそこまで大人しくなつたのです。

捏造メディアの暴力を正すのに、民間保守有志による抗議電話しか有効な方法がないといふのは、それこそ途轍（とてつ）もない「民主主義の危機」ですが、それでも、あの手法で勝てたのです。少数の草の根保守が、メディア全体の動向に明らかに強い影響を与へたのです。

左翼が何故強く、保守の我々が何故戦（いくさ）に弱いか。端的に言はう。我々は勝つ事より、議論や自己主張が好きだからだ。それは必ずしも悪い事ではない。しかし、今、安倍政権下で、日本の為に切実な事は、我々の側が一つでも余計に勝つ事そのもので、負けを承知の自己主張などではありません。勝てた方法を何故、何度も繰り返し用ゐないのだらう。

再びあの、我々が例外的に勝利を得られる戦ひ――不当なマスコミへの大量の抗議電話といふ戦ひに絞り、今度こそそれを組織化すべきではないでせうか。

もつともさうは言つても、靖国参拝非難の報道は、再び安倍首相が参拝なさるまでは、当然あるまい。それまで指を食はへてゐては、靖国を巡る国民輿論の改善はできません。

では、マスコミへの抗議、どこから手をつけるべきか。

今回の靖国参拝後の輿論調査を見ると、興味深い数字が見られた。安倍首相の参拝に対する賛否では、参拝に批判の方が多かつたり、拮抗する数字が出たものが多かつたが、その否の理由の六割が、「外交的配慮に欠ける」とするものでした。ところが、一方で安倍首相の参拝への中韓の干渉に対しては、やはり六割といふ高率で、輿論は、不快感を示してゐる。

つまり、輿論は安倍首相には外交的配慮を要求しつつも、中韓の圧力には強い反発を示してゐる。いはば喧嘩両成敗的な数字だと言つていい。

自国のリーダーが国内の神社に参拝して、何故よりによつて日本人自身が喧嘩両成敗のやうにこれを見てしまふのか。少し丁寧に分析すると次のやうな複合的な原因が挙げられると思ふ。

第一に、マスコミは、そもそも天皇陛下御親拝や首相参拝の歴史的経緯を伝へない。安倍首相個人の信念やイデオロギーの問題に置き換へてゐる。戦後四十年に渡り、粛々と積み上げられて来た天皇御親拝と首相参拝の史実や意味を国民が知らなければ、話は始まらない。国民の間に無意識に行き渡つてゐる東京裁判史観がかういふ時に効いてくる。要するに右翼アレルギーです。ここを強調されると、日本人の中のバランス感覚が「安倍、やり過ぎだ」といふ脳内物質を分泌してしまふ。

第二に、マスコミは、靖国が問題化した正確な経緯も、国民に全く伝へてゐない。特にA級戦犯合祀をきつかけに批判が始まつたといふ嘘を垂れ流してゐる。A級戦犯は日本では存在しない。その上、中韓の抗議の始まりとA級戦犯合祀は関係がない。韓国の抗議に至つては、ごく近年の便乗に過ぎない。その全てをマスコミは報道しない。従つて、国民は「靖国問題」の概要を全く知らない。

第三に、マスコミは、安倍外交トータルの成果を正確に報道せず、中韓との摩擦の原因を安倍首相側に一方的に押し付け続けてゐる。その文脈の中に靖国問題を置き、アメリカをはじめとする白人社会からの疑念を誇大に伝へ、安倍外交そのものが国際孤立への道を歩んでゐるといふ印象操作をした。

このやうなストーリー構成による洗脳を続けた結果、輿論が、喧嘩両成敗的な数字になつてしまつたと言へる。

では、今後マスコミにどう働きかけるか。ポイントは、安倍外交に関する報道、特に中韓のみを「外国」「アジア諸国」と報じ、日本側がそれに配慮、譲歩せよといふ報道姿勢を徹底的にぶちのめす事だ。中韓以外の安倍政権への反応を必ず入れる、安倍外交への反応としては国内外の好意的な評価も公正に伝へる、中韓の敵愾心(てきがいしん)剥き出しの姿勢には、日本の放送局として、その非常識さと非礼に疑問を呈するなど、要するに普通の国の普通の外交報道をしてくれといふ事に尽きる。それが、次回の靖国問題の予防注射になるのではないでせうか。

テレビ局や番組制作会社が、中韓両国人を多数管理職に擁し、その意向が強く報道に反映されてゐると仄聞するが、それが事実なら、確かに、マスコミの正常化は極めて難しい事になる。事実だと前提すれば、これは既に、テレビ局をターゲットにした厳然たる情報戦争だ。国際法による「戦争」でなくとも、比喩ではない情報「戦争」だと断ぜざるを得ないでせう。そこで既に圧倒的な劣勢に我々が立たされてゐるといふ事だ。ネット空間で非難してゐる場合ではない。「戦場」に出て敵を殲滅しなければなりません。

一方、私のやうな言論人としては、マスコミ関係者を対象にした靖国問題の勉強会を繰り返し開催するなど、敵陣の中から問題解決への率直な意見交換の糸口を切り開いてゆく努力を始めようと思つてゐます。ただ叩くといふのでは、双方の溝が不必要に拡大するばかりだ。憲法改正もあるのですから、その前に、マスコミ関係者と保守側が、同じ土俵で語り合ふ試みは、寧ろこちらから積極的に始めておくべきだらうと思ふ。

「対話」のテーブルではあくまで知的に、公正に。

しかし仕掛けられてゐるのが既に「戦争」ならば、徹底的に戦ひ、叩きのめすしか、道はない。

「靖国問題」解決の為の、民間での運動としては、このやうなマスコミ正常化への本格的な取り組み以外に、私は、教育で靖国神社と英霊の遺書をきちんと取り上げる運動を推進すべきだと思ふ。英霊の遺書については、歴史よりも国語教育、道徳教育で取り上げるべきです。その中には、若い命を国に捧げるに至る葛藤、自問自答、解決、静謐(せいひつ)……言葉による人間の自己表現の最も美しい結晶がある。端的に言つて、日本語で書かれた最も美しい一群の詩がそこにはある。教へたら戦争が好きになる、好戦思想を吹き込む気か――ならば好きになつたらいいではないか。男の子は古来戦争ごつこが大好きだ。さういふ心情を美に高め、人格形成に活かすのか、それとも見て見ぬふりをしたり抑圧する事で、逆に破壊衝動や暴力や性犯罪に向かはせるのか――半世紀前の二十歳前後の英霊の遺書以上に、美と倫理で子供の心を高め、清める教材があるでせうか。英霊たちも、自分の末期(まつご)の言葉が後生の若者の心に届くとすれば、正に本望といふものでせう。

一方、靖国神社は歴史教育できちんと教へるべきだ。戦争の当否や評価以前に、歴史への敬愛の感情なしに、歴史に近づく事はできません。大日本帝国といふ国がどういふ国だつたのか。その美点も欠点も含め、我々には貴重な教訓です。当時の日本の、政治と霊性の交点にあるのが靖国神社だつた。一トピックとしてその歴史的意義を振り返る事は、あの戦争を分析知だけで肯定・否定する浅薄な歴史観を無言の内に撃つ何かを、かつて小林秀雄の言つた「死んだ子を思ひ出す母親の悲しみ」としての歴史に向かふ心を、子供たちの胸に宿す事になる筈だ。

今度こそ本物の「靖国懇」を立ち上げよ

一方、政権側の課題として、是非とも、中曽根内閣時の「靖国懇」のやうな何らかの諮問機関を、中曽根政権の時のものよりも、本格的な戦略チームとして立ち上げる事を検討していただきたいと思ふ。

今、「靖国懇」と略称を書きましたが、正式名称は「閣僚の靖国神社参拝問題に関する懇談会」であり、首相の、ではなく、官房長官の、それも「私的懇談会」だといふ程、奥に向かつてこんがらがつたものだつた。遠慮し過ぎて何の事か訳が分からない。これが三十年前だ。中国はまだ脅威でも外圧でも何でもなかつた。それでもこの懇談会の答申を受けて公式参拝した中曽根氏は、直後に中国首脳から抗議され、在任中二度と靖国に参拝しなかつた。要するに、ここまで「配慮」してみせたところで、連中は「配慮」に対して「配慮」をもつて応へるつもりは絶対にないといふ事だ。

今やこの問題は、あの当時に比べて、ずつと面倒な外交問題になつてゐる。そして現代日本の政治リーダーの多くは、かうした精神的な価値について、当時の指導者たちよりも更に鈍感になつてもゐる。

だからこそ、将来にわたつて首相の靖国参拝を恒常化する為には、安倍首相の信念だけでは足りない。政府レベルでの理論武装と戦略とを、正にその安倍首相在任中に固めておかない限り、安倍政権の後には、靖国参拝は再び外交とマスコミバッシングの谷間に沈淪するに違ひない。今度の「靖国懇」はさうした本物の、この問題の解決までのシナリオを描ききる場であつてほしい。いきなり政府に立ち上げるのが難しければ、民間で着手してもいい。とにかく永続的な解決への道しるべを安倍政権の時に付けておかねばならない。

尊厳を守るには「それだけの力」を持つ他ない

既に紙幅が尽きましたが、最後に「外交問題としての靖国」に簡単に触れて、稿を終へようと思ふ。

これについては、私に迂闊な事がある。この問題が世界に拡大する根に重大な誤訳、誤解といふ非常に散文的な事情がある事に気づかないでゐた事だ。蒙を啓いてくれたのは、『ニューズウィーク日本語版』一月二十八日号「劇場化する靖国問題」の記事でした。全体に秀逸な特集ですが、とりわけ啓発的だつたのは、J・バークシャー・ミラー氏の記事の次の一節です。

二つ目の誤解はA級戦犯が「まつられている」ことに関する誤解だ。この「まつる」という言葉が混乱を招き、多くの外国人はA級戦犯が靖国に「埋葬されて」いると信じている。

実際、この直後、『米版ウォールストリートジャーナル』「January 22, 2014, 1:40 PM Japan's Abe

Defends Yasukuni Shrine Visit（日本の安倍、靖国神社参拝を守る）」を見たら、次のやうな一節があるではないか。

The visit to Yasukuni, which honors 14 Class A-war criminals……

我が国におけるA級戦犯の意味とか東京裁判云々（うんぬん）といふ議論とは別に、現状で、戦前は矯激（きょうげき）な軍国主義国家だつたといふ日本のイメージが定着してゐる世界の読書人層がこの文章を読めば、ひどい誤解が世界に広がるのは当然でせう。「A級戦犯を顕彰、埋葬してゐる靖国神社」といふニュアンスとなる。ヒトラーの墓参になぞらへる中国のプロパガンダが効いてしまふ訳だ。とにかく、これ以上妙な騒ぎが拡大する前に、大至急、外務省が対処し、日本人の霊魂観を元にした靖国参拝の基本的な意味の訳文を公定しなければならない。これは何を措いても日本外交の最優先課題だ。

しかし勿論、さうした実務的な対処さへすれば「外交問題としての靖国」がをはる訳ではない。冷徹な戦略性と実務性は絶対不可欠だが、逆に、どこまでもテクニカルにこの問題を処理し続ける事は不可能だし、そんな事であつてはなりません。当然だ。「国家であるといふ事」から逃げておいて、その国を強くし、平和と美徳と繁栄を維持し続ける事など不可能に決まつてゐるからです。訳語の問題の解決さへすれば、後は、こんなものは、内政干渉への絶対的拒否の一点で突つ撥ねられる国になる事——。いはば、外交問題としての靖国のゴールは明確にそこにある。外国交際の上で、本当に配慮せねばならぬ事、譲らねばならない事はたくさんある。しかし、国家と霊性が交はる精神の次元については、外交問題化する事はタブーであり、互ひに、不満があつたとしても、我慢し合はねばならない。もしそんな事も分らない程、世界各国の外交センスが幼稚化してゐるのならば、日本が逆にそれを教へてやらねばならない。日本は、現実政策では様々な妥協に応じるが、この問題に関しては絶対に一歩も譲らない、と——。

その姿勢を日本が示せないならば、仮に、外交上のロジックやレトリックを磨き、ロビー活動を旺盛にしたところで、結局、靖国参拝はずつと問題であり続けるでせう。そして、問題であり続ける限り、首相の参拝の恒常化は不可能であり、天皇の御親拝も無理です。

要するに「外交問題としての靖国」とは、まづ何よりも、精神的価値に関する内政干渉への絶対的な拒絶といふ、諸国が当り前に持つてゐる人並みの自尊心とそれを貫く矜持を、日本の、少なくとも要路の人達が取り戻す事に尽きる。私がここまで、様々な作戦めいた事を並べたのも、要するに、彼らが総体としてさうした矜持を取り戻す為の、梯子の提案に過ぎない。どんな立派な梯子を掛けても登る人がゐなければ宝の持ち腐れになるだけだ。

もう一つ大事なのは、さうした価値を守る為の「力」を持つ事だ。あのデタラメな迷惑国家の北朝鮮さへ味はつた事のない、このやうな質の国辱に、何故、我々はここまで翻弄され続けねばならないのか。単純な事だ。自前の安全保障が機能しない国だからだ。自前の国防力、国防への覚悟がない国は、根本で結局侮られる。つまるところ、それが外国交際といふものなのだ。今回の靖国騒動は、それをあからさまに示したものと言へる。

端的に言へば我が国が自主防衛に抜本転換しない限り、靖国問題は問題であり続けるといふ事です。

従つて、今、安倍政権が積極的平和主義を唱へつつ、安全保障において、根本政策を転換しようとしてゐる事自体が、参拝の恒常化の為に必要な条件整備にもなつてゐる。

靖国参拝は純粋に精神的価値であつて、外交的な駆引きが本来存在しようのない事案です。駆引きなら、互ひに妥協点を探つてゆける。しかし靖国参拝には損得勘定や妥協点はない。丸ごとそのままで、我が国の尊厳の根本に関はる。尊厳はAll or Nothingだ。否定され、侮辱され、汚されるか、守れるかしかありません。そして、妥協点のない尊厳を守るには、「それだけの力」を持つ他ない。

だから「外交問題としての靖国」とは端的に言へば、自主防衛、自立国家の尊厳と品格を選択するか、さうではなく、精神的な屈辱を甘受しつつ、それを平和の美名で覆ひ隠す事で、「日本」をも「平和」といふ観念をも損なひ続けるかといふ、我々の倫理を問ふ主題なのです。

第三章
保守とは何か——考へる作法

保守とは何か

（『Voice』平成二十六〈二〇一四〉年六月号掲載論文を改稿）

「感覚」とイズム

江藤淳は『保守とはなにか』（文藝春秋）の中で、「保守主義」について、次のやうに述べてゐます。

保守主義というと、社会主義、あるいは共産主義という主義があるように、保守主義という一つのイデオロギーがあたかも存在するかのように聞こえます。しかし、保守主義にイデオロギーはありません。イデオロギーがない——これが実は保守主義の要諦なのです。（略）保守主義を英語で言えばコンサーヴァティズムです。しかしイズムがついたコンサーヴ——保守が果してありうるのか。保守主義とは一言でいえば感覚なのです。（略）英国は憲法典を持たずに、慣例という自らの歴史的体験に基づく感覚に委ねる。この国は保守主義がイズムではなく感覚であることを、憲法典を持たないことによって立証しているともいえます。

（『諸君！』平成八〈一九九六〉年七月号初出、「橋本総理へ　『保守』とは何か」三〇、三一頁）

これに対して、中川八洋氏が『保守主義の哲学』（ＰＨＰ研究所）で、この箇所を引用し、こてんぱんに批判した。

一九九九年まで保守論壇の大きな存在だった江藤淳を例とすれば、彼は『フランス革命の省察』を一ページすらめくったことがない。このため、保守主義についても、バークについても、百八十度逆の出鱈目も度のすぎた解説をして恥じることがなかった。（略）
バーク保守主義は、英国がそれに基づいて一七九三年二月一日に革命フランスに宣戦したごとく、全体主義国を打倒するに戦争をもためらわない、〝戦うイデオロギー〟である。感覚などとは無縁である。バークを継承する保守主義者チャーチルも、レーニン／スターリンのソ連を打倒すべく戦争をせよ！　ヒットラーのドイツを打倒する戦争をせよ！　と英国民に訴えたではないか。名だたる保守主義者サッチャーも一九八二年四月、アルゼンチンに直ちに開戦してフォークランド島を武力で奪還したし、米国のレーガン大統領とともに軍拡競争をもってソ連体制にとどめを刺した。
（中川八洋著『保守主義の哲学』ＰＨＰ研究所、一七三頁）

勿論、江藤の「感覚」は、単なるヤマ勘のやうな意味ではありません。この箇所全体を江藤の言ひたい事に寄り添つて読んでみれば、江藤の「感覚」とは、血の中に流れる慣習の力を指してゐる。江藤は、保守主義が、一番根つこのありやうとして、理論的に導かれた「イズム」ではなく、古来伝承されてきた価値、慣習を守らうとする本能のやうな心の働きに基盤を置くと言ひたかつたのでせう。それを「感覚」と言つた。人類の理想として持ち出される美辞麗句——自由、平等、博愛、人権——を並べ立てて人々に媚びてくる「イズム」に対して、「俺たちが守つてきたやり方や生き方は、こいつらの綺麗事に較べると、ずつと辛口で鈍くて面白味はないかもしれない。が、どうにもこいつら、胡散臭い、信用できねえ」と感じる、あの本能的な違和感を、江藤は「感覚」と言ひ表したのです。

　だからこの話は、防衛するといふ「自覚」に強く立てば中川氏の言ふやうにイズム、しかし、それが基盤とする心情的な「本能」の側を強調するならば、江藤の言ふやうに感覚、一応はさう言へる。

　しかし、では、議論の軸をどこに置くべきかと言へば、これはやはり、中川氏の云ふやうに、イギリスのコンサーヴァティズムが、単なる慣習尊重の感覚ではなく、理論闘争として出現したイズムだといふ歴史理解に立つべきでせう。感覚の側に寄り添ひ過ぎると、「守る」とは「戦ふ」事だ、といふ否応ない現実を得てして忘れがちになつてしまふからです。中川氏の江藤否定の情念はちよつと閉口だが、ここでの氏の江藤批判は核心を突いてゐると、私は思ふ。

　本来のコンサーヴァティズムの基本的な理解、その合意がないまま、日本語の「保守」が独り歩きすれば、議論は一番基本的なレベルで曖昧になり、紛糾してしまふ。実は、日本の保守派は、長らくこの基本的な確認、つまりコンサーヴァティズムの原義、歴史的展開と、日本における受容や理解の付き合はせそのものを怠つてきた。江藤のいふ「感覚」は保守の基盤、しかしイズムとしての保守主義は、中川氏の云ふやうに、それを守る為に主として英米で形成された戦ふ思想だ。——かうした基本的な合意のない事が、日本の保守層の議論がしばしば不必要に紛糾する大きな原因ではないでせうか。

保守政治思想の研究が皆無

勿論、イギリスを中心に発達したコンサーヴァティズムにしても、その内実は多様であり、アメリカまで含めると、特に、冷戦後、その概念は激しくぶれて混乱してゐます。だが、中川氏が『保守主義の哲学』で適切に位置づけてゐるやうに、その史的展開の核心は、フランス革命の思想と対決したバークやアメリカの保守主義を確立したハミルトン、二十世紀に全体主義と戦つたハンナ・アーレント、フリードリヒ・ハイエク、カール・ポパーらにあると言つていい。

フランス革命の時、革命への幻想的な賞賛に溢れてゐたヨーロッパ知識社会に強い警告を与へたエドマンド・バークの『フランス革命の省察』が、今日まで、イギリス保守主義の古典とされ、規範とされてきた。この本は、伝統社会の緒を断ち切る革命の野蛮性と危険性、イギリスではそんな事を起す必然性が全くない理由を解明したものです。

人間には、進歩や革命的な変化への抑へがたい衝動がある。そもそも、人類は、男性性が、破壊と創造といふ形で、本能の外にはみ出てゆく事によつて、他の生物群から離脱した。この進化創造への衝動を否定する事はできない。だが、変革や進歩は、必ず破壊や喪失を伴ふ。事を起す前にはバラ色に見える革命も、やつてみた後には、寧ろ生じる副作用や病弊の方が大きい事がしばしばだ。バークは言ふ、「〝智慧を欠いた自由〟とはいったい何でしょうか。〝美徳なき自由〟とはいったい何でしょうか。それらはすべての害悪の中で最大の害悪です。悪徳です。狂気です」。

とりわけ歴史的に持続してきた原則の変更は、事前には想像不可能な疲弊を社会に齎す。結局、社会は、その対処の為に更なる改変を必要とし続ける事になり、混乱が常態化してしまふからだ。進歩の思想は往々にしてさうなり易い。

バーク以後、イギリスの政治的保守主義は、十九世紀から二十世紀にかけて、革命の夢が共産革命となり、平等への希求が全体主義へと形を変へて猖獗を極める中、常に、それらへの理論的な反論として成熟し続けた。革命理論との、絶えざる理論闘争が土台となつて、二百年にわたり、近代といふ革命と進歩の時代、過激な変化を歓迎する世界的な潮流の中で、イギリスは革命を起こさず、王室を守り、父祖伝来の国のあり方を崩さぬまま、国のあり方を少しづつ改良してゆく漸進主義を成熟させ、さうした政治や国民精神の落ち着きの下で、世界的な大国としての国威を維持してきた。今となつては、超大国としての地位こそ過去のものになつた。

が、寧ろ、超大国から転落したにも拘らず、今に至るまで維持されてゐるその隠然たる国威、揺るがぬ威厳と自信の方こそ、注目すべきでせう。

要するに、イギリスがこの漸進主義と、それによる安定的な国威を保持し得たのは、理論と実践双方での、革命思想との絶えざる対決によつて、多年、土台を更新し続けてきたからだ。

翻つて、——『保守主義の哲学』の中で中川氏がしきりに慨嘆するやうに——日本では、そもそも、アカデミズムでイギリスの保守政治思想の研究が極めて乏しいまま今日に至つてゐる。日本の政治思想研究は、今に至るまで、フランス革命かマルクス主義の系譜を引く大陸政治思想の研究に極端に偏重してゐる。殆どの政治学者は、何らかの形でフランス革命的な進歩の思想か、マルクス主義かどちらかの世界観を前提にして、世界を見、政治を語る。イギリス憲法や保守主義の理解さへ、フランス革命の人権概念に勝手に置き換へて理解するのが当り前になつてゐる。加へて、近年ではアメリカの政治思想が輸入されてゐるが、アメリカの政治思想も、建国当時の保守主義から大きく逸脱し、左翼と原理的に過激化する保守との間を激しく揺れ動いてゐる。

かうした社会を不安定化する政治思想ばかりが好んで輸入される一方、我が国の政治学は、日本の政治思想史や政治的現実から自前の政治学を組み立てる努力がまるでない。

これでは日本の保守主義が理論的に成熟しないのも無理はありません。アカデミックな土台がないから、思想史としての保守主義が共有されてゐない。史的な共有がなければ、イズムの積み重ねも行はれない。アカデミックな人材育成がゼロなのだから、エリート層に保守思想が定着する筈もなければ、具体的な政策や戦略を生む知的階層も形成されない。霞が関の頭脳に保守主義の理論は全く入つてゐないのだから、保守政治家が総理になつても、個々の政策にはどんどん保守主義とは相反する政策が混入し続ける。マスコミや出版界にも保守の理論をきちんと踏まへた人材は殆どゐない。精々ゐるとして、保守の「感覚」を共有してゐるといふ所までだ。保守思想を専攻した保守系言論人の存在も希少で、良質の啓蒙書も殆ど世に出ない……。

各界に於ける反日左翼の猖獗を保守派が幾ら個別戦で撃たうにも、アカデミズムが構造的に保守主義の研究を確立してゐないのだから、人文学系の学問を修めた素直な秀才の多くは自動的に反日左翼になつてしまふ。アカデミズムの学的な傾向を急激にギア・チェンジする方法があるのかないのか、私は全く知らないが、そこからやらねば、日本の保守派はずつと勝ち目のない戦ひに消耗し続ける他ないのかもしれません。

日本は元来が保守的な社会

しかし一方で、江藤のやうな保守派きつての理論家が、最初にご紹介したやうな半分しか正解でない保守の定義をしてしまふとすれば、それにも又、事情はあるのではないか。確かにアカデミックな土台がなければ日本全体の保守思想の成熟や浸透は図れない。しかし、江藤は、敢へて言へば、さうした土台の不在とは殆ど関係ない、例外的な知的巨人です。氏は、作家の成熟過程をテクスト内在的に論ずる知的伝統が日本にない中で『夏目漱石』を書き、ヒストリカル・バイオグラフィーの伝統のない中で『漱石とその時代』を書き、文体論の伝統のない中で『作家は行動する』を書き、誰も手をつけなかつた占領史研究を一級資料から一人で掘り起こして、優れた史書に仕上げた。ちよつとやそつとの秀才の段ではない。その江藤が、保守を感覚だと言つて済ましてゐるとすれば、彼のやうな犀利な人間さへすつぽり見落としてしまふ何かがそこにあると考へた方がいいのではないか。

日本は元来が保守的な社会です。四囲の海が、物心ついて以来の我が国を、大陸の影響から、やはらかく守り続けてくれた。外からの軍事的な侵入、侵略は殆どなく、思想や学問にせよ、充分咀嚼できる距離感をもつて輸入できた。仏教による古神道の破壊といふ事は言はれるが、寧ろ、神仏習合の歴史を辿つてみれば、仏教によつて神道の自覚は深まり、豊かにされてきたと言つてもいいでせう。何よりも、キリスト教やイスラム教といふ一神教に殆ど晒されず、それらに起因する伝統破壊が全くなかつた。案外指摘されない事だが、これは世界史でも稀な事例だと思ふ。数千年にわたつて、いかにも穏やかに己の国柄を育てる事ができたのが、日本文明だつたのです。

有史以降一つの王朝が存続したのも世界史の例外と言へる。民族の自発的総意として権力を喪つた王朝を千年以上にわたり守り、最高権威として尊重してきた、これ程保守的な民族はあるまい。文化も政治制度もさうです。漢字といふ文字が入り、更に、仏教、儒教、支那の国制が輸入されるが、いづれも少しづつ日本流儀にこなし、決して唐来物に文化的主導権を手渡さなかつた。

律令政治の大幅な導入に先立つて、既に、聖徳太子の十七条憲法が発布されてゐた。十七条憲法は、素朴な実用性に貫かれながら、実に練れた智慧の教へです。漢詩・漢文全盛になる前に、壮大な『万葉集』が歌はれ、編まれ、『古事記』が編纂されてゐた。日本は、律令による支那風の麗々（れいれい）しい国家の体裁を取る前に、充分過ぎるほど充分に日本であり、その本質を保持したまま、外来の意匠を身に着けていつたのです。

仏教も、輸入以来数百年の時を経て、空海、最澄、そして念仏信仰、鎌倉仏教へと日本的にこなれてゆく。奈良時代には、後の西洋思想に相応する思弁哲学として研究された仏教は、信仰と悟りと日本固有の救済の教へへと変貌してゆく。

漢字による日本語表記といふ、文化的には恐らく最も困難な難題でさへ、当初の不自然な万葉仮名から、自然で流麗な平仮名へと、自づと、といふ他のない自然さでほどけてゆきました。文学も漢詩文が入つて五百年経つと、仮名の創造に対応した『源氏物語』が出現する。伝承と外来文化の大胆な摂取が、どちらも他を打ち消し合はずに、また自覚的な葛藤もないまま、全く新たな創造に達する。これが日本だ。

江戸時代、徳川家康は、五百年前支那で成立した宋学を、日本の国家学として採用した。その君臣論、名分論が、大いに幕府の統治に役立つた訳ですが、良くも悪くも宋学の形而上学的な側面は、幕府も知識階級も、全く受け入れなかつた。朱子学の一番豊饒な部分はその形而上学にありますが、江戸日本は、あくまでも四書熟読を中心とする人格陶冶の学に、これを限定した。宋学の観念性に立脚し、そこから世界観を発展させた思想家は我が国にはゐません。逆に、仁斎、徂徠、そして国学といふ江戸思想の最高峰は、全て、宋学の観念性を強く否定する事を通じて成立した。いはば近代批評的な精神構造が江戸思想に既に先取りされてゐた訳です。

　国家の学としてこれを採用した徳川幕府にしても、宋学に形而上学的な操作を施して、皇室を排したり衰弱を図つた訳ではない。逆に、宋学の君臣論を極度な真面目さで体現しようと努めた江戸武士のエートスは、江戸時代後期になると、徳川の上にゐます皇室への忠を育む事になり、結果として倒幕の原動力になつてしまふ。

　要するに、日本の場合、外来思想が全面的に取り入れられるやうに見えても、それは、観念論として成長して日本古来の思想や国のあり方を原理的に変革したり、政治的な秩序解体を起こしたりはしなかつた。対決せずに受容はするが、入れた後には自己流にこなす。その過程は往々にして無自覚であり、時間の流れに任せながら、気づくといかにも日本的な立ち姿に仕上がつてゐる。自前の極めて高度な文学史と思想史を持つ——この意味で、日本は、支那の周縁民族と言ふより、自前の文明圏と見るべきです。日本が支那の付属文明だなどと言ひ始めたら、ではヨーロッパはユダヤの周縁文明なのか、といふ話になつてしまふ。が、そんな言ひ争ひが仰々しく聞こえる程、とにかく日本はやはらかい。

日本人は、殆ど自然宗教のやうに保守気質と保守的な方法論を身に付けてゐる民族なのです。

外来の意匠を着こなさねば滅亡する非常事態

ところが、この伝来の自然的な保守気質では対処できない事態が起きました。言ふまでもなく、欧米からの開国要求です。外来の暴力から適度な距離感を置いてゆつたり成熟してきた日本は、突如、帝国主義と科学技術と成長経済で沸騰する力の坩堝(るつぼ)に、準備なしで飛び込まざるを得なくなつた。それまで自分の速度で外来の文明と思想を消化してきた我々が、瞬時に外来の意匠を着こなさねば、滅亡するといふ非常事態に遭遇した。

今までのやうな無自覚的な保守気質では切り抜けられない初めてのケースです。ちよんまげを切り、和服を脱ぎ、刀を捨て、儒仏を排し、郷里を忘れ、美しい都市の景観をぶち壊した。日本固有の倫理観や美意識とは正反対の「富国強兵」を国策として、選択した。それまで「武士は食はねど高楊枝(ようじ)」と言つてゐたのが、富む事がいいのだといふエートスを国として選ぶ、これは今では想像も付かない程、面倒な心理的事件だつた筈です。「武士道とは死ぬ事と見つけたり」といふ美学を捨てて「強兵」を国策とした。死んでしまつたら「強兵」ではない。「強兵」といふのは自分が死ぬ美学ではなく、敵を容赦なく殺す思想である。かうして、武を美学にした士は消滅し、無数の敵を殺す兵隊が生まれた。

つまり明治維新とは、天皇に国政の大権をお戻しするといふ意味では、確かに日本本来のあり方への回帰ですが、その時、同時に敢行されたのは、日本人の在り方、生き方の大胆な切り捨てであり、転換だつたのです。

戦前の日本には、少なくとも今我々が普通に言ふやうな保守主義の政治思想はありません。富国強兵といふ一線に、基本思想は全国民が一致してゐたからです。西南戦争で、西郷隆盛が一気に過去を葬つてくれた後は、遮二無二（しゃにむに）進歩に国の運命を賭ける以外道はなかつた。進歩と保守の思想的対立が生じなかつたのではなく、そんなものを生じさせては国は亡びるといふ深い合意が、国家有為の人材の間に共通してあつたのです。政府と野党、言論界は、進歩を競ひ合つた。

鍵となつたのは、和魂洋才といふ発想です。折衷主義のつまらない合言葉だ、「和魂」の実体がないなどといふ人もあるでせうが、さう馬鹿にはできない。洋才に割り切つて突つ走らねば国が間に合はない。だからこそ、和魂を合言葉にした。なかなか含蓄（がんちく）深い智慧ではないか。

文学の場で成熟した保守的なエートス

イギリスの保守主義は、先ほど述べたやうに、フランスの革命思想からイギリスの国柄を守らうといふ自覚から始まりました。ところが明治維新は、日本の在り方を、自ら否定して、革命しなければ国が持たないといふ事態の中で成立した。その革命を成就する事でしか、日本は守れず、日本が守れなければ和魂を守りやうもありません。革命＝洋才を大胆に選択する事と、大和魂を守る事は一体で、思想的にも政治的にも、対立しあつてはどちらも潰れてしまふ。つまり、革命的な変革そのものが日本の保守だつた。だから、心得は、日本精神を忘れるなといふ一言で足りた、少なくとも維新第一世代の日本人まではさうだつた、それが和魂洋才でした。

従つて、日本の本来のあり方を破壊する外来思想や政治運動から日本を守ると云ふ、イギリスの意味でのコンサーヴァティズムは明治の日本にはありません。強い国をつくつてゆくといふ目標に一丸となつてゐる時に、喪はれてゆくものを思ふ余裕はない。国柄が揺らぐ危険以前に、国家の存続が危険に晒されてゐた。必要なのは保守思想ではなく、強い国になる事そのものだつた。

これが明治維新論として、乱暴過ぎる括り方だといふ非難は承知の上です。だから序でに、更に乱暴な事を言へば、福沢諭吉の『文明論之概略』と大日本帝国憲法と岡倉天心の『東洋の理想』の間には、それぞれの思想的スタンスの相違以上に、同じ時代の声としての激しい進取の喜びと気宇の壮大さ、そして己に徹してゐさへすれば、自己本来のあり方を喪ふ事など決してないといふ強烈な自信がある。よくも悪くもこれが明治日本であり、保守思想とは無縁の、突き進む日本の輝かしい近代だつた。

第一次世界大戦と前後して、かうした明治の精神は終焉します。

それまで手本にしてゐたヨーロッパ自身の自信喪失、ロシア革命の成功とコミンテルンの世界進出、日本経済の相次ぐ恐慌の中、日本では、左右の革命思想が、知識人、軍人の中に、浸透し始めたのです。

ところが、ここでも保守思想は成立しなかつた。戦前の日本では左翼は官憲が取締つた。思想としての保守が左翼を理論的に否定する前に権力がこれを抑へてしまつたのです。一方、右翼は少壮軍人と結託して、輿論を誘導し、仕舞には事実上、国政を簒奪（さんだつ）する。和魂の追求がより成熟した保守思想になる前に、空疎な怒声と共に、権力そのものと化してしまつた。かうして、ここでも又、思想としての保守は成熟する機会のないまま、大東亜戦争を迎へる。

寧ろ、大日本帝国下では、政治や思想の領域ではなく、文学の中で、日本の保守的なエートスは、静かに成熟し続けた。例へば、二・二六事件の翌年、支那事変が勃発した昭和十二（一九三七）年には、志賀直哉の『暗夜行路』が完成し、永井荷風『濹東奇譚』、横光利一『旅愁』の連載が開始され、川端康成の『雪国』第一稿が出版されます。空前絶後の国民文学、吉川英治の『宮本武蔵』は前年来『朝日新聞』に連載が続いてゐ、山本有三『路傍の石』、吉野源三郎『君たちはどう生きるか』、豊田正子『綴方教室』など良質の文学大衆化の精華も、この年に陸続として出版された。これらはいづれも日本のエートスや美意識への、多彩な反省と自覚の作業でした。

つまり、文学といふ静かな場で、保守の「感覚」が近代的な意匠の下で成熟する一方、思想と政治の世界は、左右の全体主義の怒号に引きちぎられ続けてしまつた。それが昭和戦前でした。

左翼一色だつた日本の論壇に異を唱へた小泉信三

日本で保守主義が政治思想上の概念として明確に打ち出されるのは、従つて、戦後に入つてからなのです。ＧＨＱのプレスコードによつて戦前の価値観が一切否定され、同時に知識階級が雪崩を打つて共産化してゆく。新聞、雑誌、書籍から学校教育、大学の先生まで、その主流が共産主義者やそのシンパに占拠されてしまふ。

ＧＨＱによる日本否定と、左翼言論の猛威が吹き荒れたのが、戦後日本の精神的な風景でした。この状況に、最初に強く異を唱へたのが、サンフランシスコ講和条約時の小泉信三です。

左翼一色だつた論壇とマスコミは、西側諸国とだけ講和を結んで早期独立を果たさうといふ吉田茂首相の講和方針を「単独講和」と呼び、口を極めて攻撃しました。ソ連や東欧も含めた「全面講和」を採るべきだといふのです。彼らの使ふ「単独講和」といふ言ひ方がそもそもをかしい。東側を無視して、西側のみと講和を結ぶから「単独」だといふのが彼らの言ひ分だが、西側諸国五二カ国、東側三カ国であつて、現実には、これは「単独」ではなく「大多数」との講和です。しかも、東側は共産圏であり、その首領は、大戦末期に条約を破つて北方領土を掠(かす)め取り、講和当時もシベリアで多くの日本人を不当に抑留してゐたソ連だ。

国際情勢の上でも、昭和二十四（一九四九）年に、中国で国民党が敗退して共産党政権が樹立され、その翌年には朝鮮半島で、米ソ（中）代理戦争と言ふべき朝鮮動乱が勃発してゐる。日本は依然として米軍の支配下にあつた。共産圏も含めた講和などできる筈がない。論壇や学者、マスコミの主張通りに「全面講和」を目指したが最後、そもそも講和に至る事ができず、必然的に、アメリカの占領状態が続く他はなかつた。一部の国ではなく、あらゆる国と友好条約を結ぶべきだといふ、抽象論としては反対できないが、全く非現実的な事を、日本の論壇は叫び続けてゐたわけです。

それに、異を唱へたのが、小泉信三でした。小泉は福沢諭吉の高弟、学問上の業績としては、マルクス経済学批判の理論的基礎を日本で準備した人だが、同時に、国民的な声望が厚く、今上陛下皇太子時代の御養育係でもあつた人だ。

その小泉が吉田批判一辺倒だつた論壇に一石を投じた評論「平和論」は、今でも充分に通じる、国際政治力学の常識を、格調高く説いたものです。読み返してみると、今の集団的自衛権批判や護憲の議論に、そのまま問ひかけてゐるやうにしか読めない。

> 安全保障は一体誰れに対するものであるか。安全を脅すものは誰れであるか。言葉は色々に飾ることができる。しかし、むき出しに言えば、簡単である。共産勢力、即ちソ連、中共または北鮮の侵略に対し如何にして日本の安全を護るかというのである。然らば、この共産勢力の侵略は、あり得べからざることであるか。ごく一部に、然りというものがあるように見える。しかしそれは段々に縮小して行く少数者である。殊に中ソ同盟条約がその条文に、対抗目標と

して日本の名を明記し、北鮮軍が突如韓国軍に襲いかかるという事件が起って以来、多数日本人は危険の所在を知り、その憂惧は深刻になった。尤も中には、日本が中ソを挑発さえしなければ、無防備でも安全だろうかと心頼みするものもあるが、この点については後で述べる。

安全保障は必要であるとして、それは何国の実力によって行われることが望ましいか。また可能であるか。ここでも再びむき出しに言えば、それは米国の実力に頼るより外はないのである。（略）昨日までの日本を日本と思って来たものには、自国の安全を他国の力に頼らねばならぬなどということは、実に言うに忍びぬ恥しい次第であるが、今はそれをいってはいられない。

（『小泉信三全集十五巻』文藝春秋、三九二頁）


ソ連が消えて危機の中核が中共となり、中ソ同盟条約がなくなつて、寧ろ頼りの筈のアメリカと中国の接近に憂慮しなければならない。さうした所与の条件を入れ替へれば、小泉の六十年前の言葉は今にそのまま通用します。感心するよりも寧ろうんざりだ。今でも小泉のこのやうな常識論が依然として保守論壇の専売特許のまま、国論として一向に深まらない。その上、議論を深める代りにプロパガンダに努めるリベラル左翼の体質も、この頃と今と全く変らない。

『世界』の十月号は講和問題特輯号として企画せられ、百人ばかりの人々の寄稿を載せたが、その大多数はサンフランシスコ講和条約を望ましからぬとするもので、例外的にごく少数のものが、この条約の成立を望む意見を表明した。（略）講和問題特輯号というから、私は公平にこの問題に対する各派の人々に、忌憚なき意見を吐露せしめ、これを集めて世間に示すというのであろうと思い、それなら有意義な企てだと考えて、自分も編輯部の設問に答えたのである。然るに、出来たものを見ると、そういう方針で編輯せられたものではなく、甚だしく偏った意見を集める特輯になっている。（前掲書四〇〇頁）

言ふまでもなく、『世界』は日本の学術的良心を代表する筈の岩波書店が刊行してゐる。小泉は、福沢の高弟であるのみならず、夏目漱石や幸田露伴とも親交があつた。彼らの全集は、全て岩波書店から出てゐて、私も愛読、重宝してゐる。内容・編集・装幀共に、日本の近代の最も高い峰々だ。小泉は岩波書店の創業者、岩波茂雄とも親しかつた。書店への信頼は厚かつたのです。その岩波書店が、月刊誌ではこんな下劣なプロパガンダを平気でやる。小泉は非常に驚き、深く憤つたに違ひない。だが残念な事に岩波のかうした悪質な情報操作は、時代と共に寧ろ悪化の一途をたどつて現在に至つてゐます。

一方、岩波と並ぶ日本の知の雄を自負してゐる朝日新聞も、そのプロパガンダの悪質さでは傑出してゐる。同紙の偏向報道は、私自身『約束の日——安倍晋三試論』（幻冬舎文庫）で丹念に追跡したが、この新聞社が戦後重ねてきたデマを詳細に辿れば、それだけで数巻の研究書ができあがるに違ひない。思へば、その朝日は明治末年、漱石を大学教師から引き抜き、専属作家として契約した。日本の近代文学最大の基準となつた『虞美人草』以下『明暗』に至る漱石の小説群は、朝日のこの英断の賜物です。

朝日・岩波共に、彼らの学術的な自恃と政治に関はる時のハレンチさとの信じられない程の乖離は一体何なのでせう。要するに、戦後、両社が共に左翼の壟断する所となつたと言へばそれまでだが、一度、彼ら自身の口から、学的良心と政治的デマゴギーとしての不道徳ぶりをどう自分で折合ひつけてゐるのか、とつくり聞いてみたい気がします。

平和論といふ知的流行の欺瞞を撃つた福田恆存

保守の側から提起された、次の大きな論争は、昭和二十九（一九五四）年、福田恆存の「平和論の進め方に関する疑問」といふ雑誌論文に端を発する平和論論争です。

福田は、平和、平和と唱へてゐれば米軍基地問題や日米安保条約、ひいては日本の外交はうまくゆくのか。平和といふ言葉を絶対視して思考停止に陥らずに、もつと現実を直視した基地論、安保論を展開すべきではないか、と疑問を呈した。考へる態度そのものを忘れて平和といふ符牒だけが独り歩きしてゐるのはをかしいと言つただけだつた。ところが、それが、論壇に憤激の嵐を巻き起こし、大論争となります。

今、福田論文を読むと、極めて常識的な議論で、何故、こんな事が激しい論争になつたのか、今の読者は理解に苦しむかもしれません。小泉のやうな国際政治論ではなく、寧ろ、平和論といふ知的流行の欺瞞（ぎまん）を撃つのが福田の議論でした。時代風潮とは騒音に他ならない。デマゴーグが火をつけ、人にもそれを強いる。反対する声が出たら、騒音の大きさで消し去らうとする。知的に、静かに考へ、立ち止まつてみようとする営みそのものを圧殺しようとする。

日本の保守は、かうした左翼の思考停止を撃つ事から育ち始めたのです。絶対的な少数派だつた。それにも拘らず、当時の保守派には、極めて重大な責務があつた。知識層の大半が左巻といふ状況下で、とにかく日本を共産化だけはさせないといふ目標です。社会党が政権をとつたら、ソ連の魔手が日本に伸びるのは確実だつた。アメリカは無論黙つてゐない。日本を戦場にした第二の朝鮮動乱は確実に起きたでせう。

この危機感が、日本の戦後保守主義の原点です。

その時の逸話がある。吉田茂が講和条約締結の頃、自分の命はもとより、万一、孫の麻生太郎氏が誘拐されたとしても、節を曲げるつもりはないと家人に話してゐたといふ。岸信介も命に代へて安保改定を断行した。家人は岸の死の覚悟をしてゐた。が、あの頃、かうした覚悟は政治家だけではなかつた。学生紛争がひどくなつた頃、福田恆存は家族に「自分の身に何かあつても覚悟しておけ」と言ひ含めてゐたさうです。小林秀雄のやうに政治的発言をしない文化界の保守主義者さへ、妻君は「こんな事が続くと、革命が起きて小林は処刑されるのではないか」と本気で心配してゐたといふ。

あの頃、政治家どころか、言論人さへ、命を張るといふ覚悟の上で、日本を共産圏から死守した。逆に言へば、多勢に無勢、防戦に精一杯で、当時の保守派言論界は、保守を理論化したり、歴史叙述を通じてマルクス史観に対抗するやうな余力はなかつた。また、戦後左翼の空想平和主義の馬鹿馬鹿しさや憲法死守論の理論的低級さへの油断も、多分にあつた。油断と言へば、日本人の保守気質、庶民の手堅い常識感覚への過信もあつた。

以上を要するに、第一に日本民族は、古来、自然気質として、保守的傾向が強く、又、恵まれた歴史の中で、自国の伝統を創造し続けられた事が、日本で、保守の理論化が進まなかつた根源的な原因である。

第二に、大日本帝国時代には、保守思想が成立する意味も余地もなく、国民一丸となつて富国強兵に専念する一方、戦後初めて左翼への言論上の防御が必要となつた時には、防戦一方となり、ここでも保守の理論化は進まなかつた。

それに加へて、現在に至るまで、アカデミズムが保守政治思想の研究に取り組んでこなかつた。

思想的な営為がなかつたからこそ招いた苦境

かうして、日本独自の保守思想が生れる事のないまま、ソ連の崩壊により冷戦が終はりました。日本は赤化から、何とか逃げ切れた。ところが、今度はその事が日本の保守派を、又、油断させてしまつた。

冷戦が終はつた後、我々は、戦後左翼の理論と組織を徹底的に検証すると共に、日本に安定した保守思想が定着する理論的な努力を開始すべきでした。さうすれば、冷戦終結といふ根本的な国際秩序変更によつて新たな敵が出現しつつある姿が見えた筈だ。その敵とは何か。国内に残存して偽装転向した旧左翼達であり、新たな国際社会そのものです。ソ連が崩壊したからと言つて、国内の隅々に行き渡つた左翼人脈や左翼イデオロギーが消えるわけはなかつた。残敵掃討戦を徹底の上にも徹底すべきだつた。一方、日本が、軍事的、情報的、外交的に独立国家と言へないまま、国際秩序の大変動が始まつた。アメリカの一極支配が永遠に続く筈もない。国際秩序とは、絶えざる変動そのものだからです。だから、その新たな国際秩序の流動化の中で、どう勝ち続けるか。どういふ位置で生きてゆくか。その為に、長い目で見れば絶対に必要なのが、真の意味での独立回復だつた筈です。そして独立回復の必要性をアメリカに説得する新たな言葉であり、新たな外交戦略だつた筈だ。

国際秩序を決定づける大戦争の敗者が「国際社会に於いて名誉ある地位」を回復するのは極めて困難です。しかし、日本の場合、敗者の位置を返上しない限り、「名誉ある地位」どころか、普通の意味での独立国にさへ戻れない。だから、何としても新たな日本像を世界に提示する戦略と思想が必要な筈だつた。

ところが、我々は、絶えず目の前に出現する小さ過ぎる問題を針小棒大に論じ続けてしまつた。日本型経営の放棄、ジェンダーフリー、選挙制度改革、公務員改革、構造改革、郵政改革、地方分権、マニフェスト選挙——極めて内向きな上、形を換へた左翼政策だらけだ。さうした問題がさも正義と進歩と問題解決の決定打のやうに立ち現れ続けた。これらの問ひには、歴史的文脈も国際社会に於ける日本像もない。戦略性もない。こんなものが侃侃諤諤論じられ、着実に政策化されてゆく内に、死んだふりをしてゐた国内左翼は民主党政権の樹立に成功し、外では、中国・韓国によるDiscount Japan strategyが、世界から日本を包囲してしまつた。

近代化、戦後レジームに加へ、左翼政策、左翼心性の浸透とDiscount Japanの四重苦だ。思想的な営為抜きに、政治だけでこの状況を切り抜ける事は不可能です。これらは、正に、思想的な営為がなかつたからこそ招いた苦境だからです。本当に戦はうと思へば、戦ひの全貌を吟味し、敵を特定し、戦略を立て、こちら側の正当性を明確に自覚し、説得せねばならない。思想とは、西洋哲学を縦文字に組み直して、抽象語を玩弄する事ではない。問題を解決する為の必要に迫られてする知的営為だ。保守にはさうした次元での思想が是が非でも必要なのです。

自覚的に戦ふ日本人といふ存在に

革命の季節、一九六〇年代の若者はデモもしたが、マルクスを右手に、吉本隆明を左手に、カバンの中にはそつと小林秀雄か三島由紀夫をさへ忍ばせてゐた。どの位熟読したかは疑問ですが、当時の左翼のリテラシーが、今の保守派のそれより平均値において遥かに高かつたのは間違ひないでせう。そして、彼らのさうした読書体験こそが、反日左翼が地下で密かに粘り続け、共産主義終焉の後に民主党政権を生み、いまだに行政、司法、学界、教育界から、出版界、マスコミ迄を牛耳り続けてゐる大きな力の源泉であるのは間違ひない。

一方、我々は今、右手にも左手にもろくな本を手にしてゐないのではないか。鞄の中にそつと忍ばせてゐる共通の読書体験もないのではないか。

これではどうしようもない。まづは、日本の近代思想を、幕末水戸学、福沢から、福田恆存、江藤淳、桶谷秀昭、西尾幹二らに至る骨太の系譜として押さへておく必要がある。実用上の助言めいた事を言ふなら、左系の書物を読みたい場合は現存の著者で十分、過去の文献を読む必要は殆どない。昭和戦前までのそれはマルクス主義の消化不良の山、戦後の多くは既に歴史に清算されてしまつてゐるからです。中川氏の『保守主義の哲学』が取り上げてゐるやうな西洋保守思想の古典的な理論書の共有も必要だ。

少しづつ試みられ始めた現代日本の若手による思想的格闘——浜崎洋介『福田恆存　思想の〈かたち〉』、先崎彰容（あきなか）『ナショナリズムの復権』、植村和秀『丸山眞男と平泉澄』、廣木寧『江藤淳氏の批評とアメリカ』など——もつと幅広く共有されるべきでせう。これら誠実な知的営みを地味だからと言つて敬遠してはならない。俗耳（ぞくじ）に入り易い刺激的だが薄つぺらい議論ばかりが人口に膾炙（かいしゃ）してゐるやうでは寒心に堪へない。アイデンティティの高度な自己追求と、戦略の設計とは実は事柄の表裏なのです。だから、本当に勝たうと思ふならば、回り道のやうでも、知的な営みに従事する層を保守派が形成しなければ、今の危機は乗り越えられません。

日本は世界史上最も豊饒な保守の王国でした。保守的である事と創造的である事が余りに自然に溶け合つてきた。その無自覚な高度さ故に、近代以後、外敵と暴力に対して無防備過ぎた。その輻輳する暴力により、我が国は今や、かつて経験した事のない水準で、ボロボロになりつつある。だから、我々はかつて存在した事のない種類の日本人にならねばならない。日本を守る為に、思想においても戦略においても、自覚的に戦ふ日本人といふ存在に――。

今列記した新世代の思想的格闘の中に、既に「開かれ過ぎた社会とその敵」の萌芽はあるかもしれない。いづれ稿を改め検討する機会があればと思つてゐます。

反原発文化人への手紙（前編）

（『正論』平成二十六〈二〇一四〉年五月号掲載論文を改稿）

……それにしても、「文化人」は「自分にはよくわからない」とか「その問題には興味がない」とか「いままで考へたこともないことだから、にはかには答へられない」とか、さういつた返事をなぜしないのでせう。（略）人間はさうなににでも関心をもつはずのものではなし、さうなにもかも始終こころにかけてゐるものでもないのに、なにかが起ると、まるでその問題を半生かかつて考へぬいてきたやうな返事をする。そんなばかな話はない。その種のそらぞらしい議論ばかりが新聞や雑誌を賑はしてゐます。あらゆる問題にあらゆる解決策が提供されてゐるといふ状態であります。が、問題はいつからうに解決されはしません。

（福田恆存「平和論に対する疑問」）

随分キッチュで胡散臭い「鉾々たる顔ぶれ」

世の中には、役立たずで出鱈目(でたらめ)ばかり、口も手癖も悪いが、どうにも憎めない奴といふのがゐるものです。さしづめ新聞の世界では『日刊ゲンダイ』がさういふ役どころになるでせうか。毎晩のやうに安倍首相を亡国の悪魔呼ばはりするかと思ふと、選挙の度に、何故か知らぬが小沢一郎氏の応援団を買つて出ては、一〇〇議席確実、いや二〇〇議席越えだといふ「予想記事」を掲載する。実際の日本が瓦解せず、小沢さんの党が一〇議席に届かなくとも何のその、翌日にはまた、同工異曲の出鱈目で東京の黄昏時を毒々しく彩つてくれる――東京に欠かせない風物詩と迄は誰も思つてゐないけど、ゐなくなると少し寂しいかもしれないあいつ……。世間知らずの私でも、見出しの方が中身より楽しい事は知つてゐます。実際に買ふなどといふ失態を演じる事は滅多にない。

ところが、先日、久しぶりに、その失態を演じてしまひました。

都知事選の中盤、二月一日「大集結した『細川支援』文化人　凄まじい熱気と切実な声」といふ大見出し。「文化人」といふあまりにも懐かしい響きに思はず財布の紐が緩んでしまつたのです。マクドナルドのコーヒー代を上回る大枚一四〇円で、私は、失笑と軽侮と若干の血圧上昇を購入する羽目になつた。何といふ事だ、悪魔は安倍晋三なのか、『日刊ゲンダイ』の心憎い編集長殿か。失笑を購入する為に一四〇円もの金を払ふ程、私の心が荒んでゐるといふ事なのか、それとも我が家の家計がデフレ脱却する兆しか……。

しかしこの日の『日刊ゲンダイ』は、確かに買ふ値打ちがあつたと言へる。

世論調査では劣勢の細川護熙候補だが、街頭ではすごい人気だし、もうひとつ、熱いのが文化人による支援である。

ついには吉永小百合、菅原文太も支援に名乗りを上げて、賛同者リストには作家の瀬戸内寂聴、澤地久枝、作曲家の三枝成彰、作詞家のなかにし礼、脳科学者の茂木健一郎、アートディレクターの佐藤可士和、日本文学者のドナルド・キーン、女優の川島なお美、漫画家のさかもと未明、ジャーナリストの下村満子、画家の千住博など錚々たる顔ぶれが並ぶ。

（『日刊ゲンダイ』平成二十六（二〇一四）年二月一日号）

僅かな例外を除けば随分キッチュで胡散臭い「錚々たる顔ぶれ」だが、それは平成といふ時代のせゐで、『日刊ゲンダイ』のせゐではないのでせう。『日刊ゲンダイ』だからといつて軽く見過ごす訳にはゆかない。何故なら、このレベルの「文化人」達に政治を語らせるといふ手口は、『朝日新聞』がまさに昨年十二月、特定秘密保護法の時に大々的に連日一面を使つて展開したばかりだからです。あの時は、安倍非難の大合唱が出るわ出るわ、それこそ、学者といふ肩書の「文化人」のみならず、漫画家の小林よしのり氏、映画監督の大林宣彦氏、作家の中島京子氏、半藤一利氏、漫画家のちばてつや氏のやうな人たちに、特定秘密保護法が成立すると日本が暗黒社会になるといふ極論を語らせ続けた。呆(あき)れて物も言へない暴論愚論の連続でした。

NHK経営委員・長谷川三千子氏への凄まじい攻撃

が、慨嘆してゐる場合ではない。何故なら、リベラルと自称する人々やリベラル派マスコミには、自分と違ふ思想信条を弾圧、封殺したがる体質があり、安倍氏への右翼だ強権政治だ言論弾圧だといふレッテル貼りと、さうした思想弾圧とが、今やセットになりつつあるからです。NHK経営委員の百田尚樹氏、長谷川三千子氏への個人攻撃キャンペーンはその最たるものでした。殊に長谷川三千子氏への攻撃は、執拗(しつよう)さだけでなく質の低さも含めて凄まじかつた。


作家として、学者として、どんな思想をもち、主張をするのも自由だ。だが、公共放送の経営に携わる者としては、相応のバランス感覚が求められる。

だからこそ、放送法はNHK経営委員の資格要件として「公共の福祉に関し公正な判断」ができることを定めている。（略）長谷川三千子氏は、新右翼の活動家野村秋介氏の追悼文集に昨秋に寄せた文面が報じられ、問題になっている。

（略）野村氏は93年に朝日新聞社内に短銃を持ち込み、社長らとの懇談の場で自らに向け発砲し、命を絶った。長谷川氏は「『すめらみこと　いやさか』と彼が三回唱えたとき〈中略〉今上陛下は（「人間宣言」が何と言はうと、日本国憲法が何と言はうと）ふたたび現御神となられた」と記した。

（「ＮＨＫ——公共放送の信用を憂ふ」『朝日新聞』二月七日社説）

まづはつきりさせておきたいのは、ＮＨＫ経営委員といふのは、建前上、経営や業務の運営に関はる重要な事項の審議、決定と、役員の職務の執行の監督が仕事とはなつてはゐるものの、実質的には、殆どボランティア職だといふ事だ。弁当代程度の手当が出るだけで、月に二回の委員会出席で任期は三年もある。しかも、番組審議委員ではないので番組内容には関与できない。当然、有識者で構成されるから、その中には、政治学者、ジャーナリスト、学界人、作家らが含まれる。彼らの日常の言論活動や政治活動を規制する事などあつていい筈がない。

この『朝日』の社説は、「公共放送の経営に携わる者としては、相応のバランス感覚が求められる」と云つてゐる。が、一人のＮＨＫ経営委員の言論活動を大々的に問題にした段階で、今回のキャンペーンそのものが「相応のバランス感覚」を完全に欠いてゐると言はざるを得ない。従来の経営委員には左翼の学者、民主党政権時代には民主党員の評論家もゐるが、それを自民党やマスコミが執拗なキャンペーンで叩き潰さうとした例はない。ＮＨＫの番組審議委員のメンバーも如何はしいのが沢山混じつてゐる上、『朝日』『讀賣』『毎日』の経営陣が麗々しく名前を連ねてゐる。これこそ言論の横並びの自主統制、マスコミの大政翼賛体制の表れではないか。他にも問題にしなければならない事は山のやうにある。

その中で、長谷川氏バッシングは、明らかに「相応のバランス感覚」から極端に逸脱したものだつた。今引用したのは『朝日』の社説ですが、今回「主役」で煽つた『毎日』では、この野村氏追悼文の件が、なんと一面トップ記事、その後同紙の長谷川氏への絡みは、私がざつと勘定しただけでも、二六件を数へる。それに『朝日』『東京』地方紙、「報道ステーション」などが執拗な後追ひを掛け、思想的不適合の烙印（らくいん）を押し続けるといふのが、今回の構図でした。これは、どう見てもマスコミによる個人の叩き潰し、暴力、思想弾圧でせう。

しかも悪質極まる事に「主役」の『毎日新聞』は、長谷川三千子氏とは何者かを読者から隠します。『毎日』が掲載してゐる氏の履歴が凄い。部分引用でなく、あへて全文引用しませう。

　1946年生まれ。埼玉大名誉教授、哲学者。「2012年安倍晋三総理大臣を求める民間人有志の会」の代表幹事。少子化対策として、女性が家庭で育児に専念し、男性が外で働くのが合理的という趣旨のコラムを1月に発表、議論になった。

これが『毎日新聞』による長谷川氏の「履歴」全文です。氏によるコラムの趣旨は完全に曲解されてゐる上、驚くべきは、経歴から氏の専門も著書も全く省かれ、『「2012年安倍晋三総理大臣を求める民間人有志の会」の代表幹事』といふ肩書だけが出てゐる点だ。これは履歴として紹介するやうなものではない。一昨年、総裁選への安倍氏出馬を促し、輿論喚起するのを目的に、故三宅久之氏を中心に結成された会で、事実上の活動期間は一月足らず、総会も結成集会もなく、名前を頂戴した四〇名近くの有識者全員が顔を合はせた事すらない。事務方で仕切つたのが私なのだから間違ひない。

あへて真面目腐つて云ふが、長谷川氏は、昭和六十一（一九八六）年、日本文化論集『からごころ』（中公文庫）で注目されて執筆活動を開始、『バベルの謎』で和辻哲郎賞を受賞し、『民主主義とは何なのか』は、デモクラシーを論じる上での基礎文献の一つ、最近作『日本語の哲学へ』『神やぶれたまはず』は、それぞれの分野で大きな話題となつた。未刊だが、数十年に渡る道元の『正法眼蔵』研究は斯界では既によく知られてゐる。その注釈が公刊されれば、歴史的な仕事となるでせう。幾らなんでもこれらの業績一切抜きに、長谷川氏を『２０１２年安倍晋三総理大臣を求める民間人有志の会』の代表幹事」で済ます手はない。氏を中身のない安倍べつたりの御用評論家に見せかけようとする姑息な手口としか思へない。

氏の処女評論「からごころ」は、小林秀雄の『本居宣長』を丁寧に読み解きながら日本語の成立、特に平仮名の発生と、日本精神の持つ独特の構造に光を当てた画期的な評論です。

言ふまでもなく、小林秀雄の『本居宣長』は戦後日本文化史上の大事件の一つだ。宣長が、古代日本の言語経験を発見する思想の歩みを跡付けながら、それ自身が小林による宣長の内なる近代の発見になつてゐる。この仕事は、批評でもあり詩でもあるが、小林の発見は奥深く隠され、平易な文章の射程を本当に追ひ切るのはま事に難しい。美しいオマージュは多数書かれたが、これを批判的に継承する仕事は結局出ませんでした。左翼の吉本隆明や柄谷行人氏の批判の方が、保守系批評家らの賛辞より生産的だつたかもしれない。

その中で長谷川三千子といふ若い女性が、小林の議論に寄り添ひながら、『本居宣長』を一歩前進させる見事な思想的美技を見せた。国学といふ営みの特殊性、宣長が期せずして垣間見る事になつた「からごころ」の構造、そこからとりわけ平仮名の発明の意味へと向かふ氏の知的冒険は、たつた五〇頁の小論でありながら、巨大な知的構図を、誰一人——小林自身も含め、そして今もまだ若き長谷川氏程鮮やかには誰一人として——拾ひあげられなかつた見事さで、浮かび上がらせてゐる。左と右といふ構図での叩き合ひではなく、思想的に共感するが故に、その思想と真剣に対決し、新しい表現、思想を積み上げる。——それが長谷川氏の出発点だつたのです。

その後、長谷川氏は、『バベルの謎』で、バベルの塔の物語といふ旧約聖書の十数行を敷衍(ふえん)して一冊の本にした。哲学的ミステリーといふ新ジャンルの嚆矢(こうし)とさへ言へる斬新な仕事です。この仕事で、氏は、本格的な言語哲学に向けて踏み出し、その後二十年の思索の中で「日本語」そのものを問ふに至つた。それが最近の『日本語の哲学へ』でした。これは物議の書、論争の書だつたし、その議論はまだ始まつたばかりだ。

野村秋介追悼文に対する恥づかしいまでの誤読

さういふ思想家が、精神史の上での事件として野村秋介を取り上げたのが、問題化した追悼文です。

> １９９３年に朝日新聞社で拳銃自殺した右翼団体元幹部について、ＮＨＫ経営委員の長谷川三千子埼玉大学名誉教授（67）が昨年10月、この自殺を礼賛する追悼文を発表していたことが分かった。メディアに対して暴力で圧力をかけた刑事事件の当事者を擁護したと読める内容で、ＮＨＫ経営委員の資質を問う声が出ている。（中略）憲法が定める象徴天皇制を否定するような記載をした。
>
> （『毎日新聞』二月五日付朝刊）

長谷川氏の原文を読めば、これは恥づかしいまでの誤読でしかない。氏は「自殺を礼賛」してゐない。「メディアに対して暴力で圧力をかけた刑事事件の当事者を賞賛」してゐない。「憲法が規定する象徴天皇制を否定」してゐない。

氏は「人間は、人の死をささげられても、受け取ることができないのである。人間が自らの死をささげることができるのは、神に対してのみである」と書いてゐる。野村が朝日新聞で自裁した時、「彼は決して朝日新聞のために死んだ」のではなく「神にその死をささげた」。そして、「『すめらみこと　いやさか』と彼が三回唱えたとき、彼がそこに呼び出したのは、日本の神々の遠い子孫であられると同時に、自らも現御神（あきつみかみ）であられる天皇陛下であつた」。

氏の文脈には、「刑事事件」も「メディアへの暴力による圧力」も、「憲法の規定」もない。これらは世俗的な事柄であり、勿論、世俗は野村の自裁を粛々と処理し、事柄は散文的な「事件」として終はりました。長谷川氏が「彼は決して朝日新聞のために死んだ」のではないと書いた時、氏が、野村の自裁をさうした「事件」から精神史の位相に読み替へようとしてゐる事は、評論の表現上の常識でせう。その上、氏は、この追悼文を結ぶに当り「野村秋介氏の死を追悼することの意味はそこにある、と私は思ふ。そして、それ以外のところにはない、と思つてゐる。」とした。野村の自裁の意味は、精神史の文脈「以外のところにはない」、つまり、これを「事件」として礼賛してゐるのではないと、はつきり読めるではないか。

勿論、「事件」として賞賛する人がゐてもいいと私は思つてゐる。野村は拳銃を持ち、朝日新聞の幹部を前にしながら、威嚇(いかく)の素振りすら見せず、威嚇の言葉一つ発してゐない。これを武士道だと賞賛する人がゐてもをかしくはない。だが、逆にゲーテのやうな過激な古典主義者なら、いや、だからこそ怪しからん、せつかくの機会だつた、何故きれいさつぱり始末してしまはなかつたかと言つたかもしれない。ホメロスの時代もシェイクスピアの時代も平家物語の時代も、政治と文学と死とは分ち難く結びついてゐました。今や民主主義と人権思想の御蔭で人性も進歩し、そんな野蛮な時代は終はつたといふか。笑はせてはいけない。ホメロスどころか、今のやうな文学、思想の御粗末な時代が、自分の粗末さを棚に上げて「進歩」などと偉さうな口を利く位なら、そんな人類は消えてなくなつた方がましだ、ゲーテが今生きてゐたならば、彼はかういふ事を、私よりずつと機知に富んだ言ひ方で言つたに違ひない。

脱線しましたが、長谷川氏の論旨に賛同か不賛同かが問題ではありません。文化の頂点を狙ひ続けてきた長谷川氏のやうな人物による精神史的な文脈での戦後論――この追悼文のそこが読めないなら、その人は、漱石の『こゝろ』の「明治の精神」も、大江健三郎の『芽むしり仔撃ち』の恥辱も読めないに違ひない。『こゝろ』の先生の死に思ひ入れる柄谷行人氏に向かつて「中年男性の不審な自殺を礼賛」とか、『芽むしり仔撃ち』の米兵の日本人への侮辱の描写を「刑事事件を構成しない単なるいたづらへの不当な非難」などと言ひがかりを付ける馬鹿はゐまい。

だが、今回の長谷川叩きは、そのレベルの読みで思想家を精神的に追ひ詰めようとしたと言つていいのです。思想家の言葉を思想の文脈の内部で撃つといふのなら、たとひどんなに厳しい批判でも、何も文句はない。それは長谷川氏自身が思想の力で引き受け、応戦すべき事であつて、その結果、長谷川氏の思想が粉砕されたとしても、それは仕方ない。だが、この一連の騒動はさうしたものでは全くない。

野村は一切相手を傷つけず一人自裁した。長谷川氏は言葉の力の内側で、たつた一人の思索によつて思想を紡（つむ）ぎ出し続けてきた。ところが、リベラル派マスコミは、長谷川氏を無理に野村といふ「右翼」の「拳銃」事件と結びつけて、キャンペーンを張る事で氏を社会的に圧殺しようとした。これこそがテロであり、暴力でなくて何なのか。

長谷川氏は一連の騒動を、「記者さんたちを相手に楽しませてもらつてゐます」と笑ひ飛ばしてをられたが、もし氏がさういふ闊達な人柄でなく、芥川龍之介やシュテファン・ツヴァイク並の繊細な人間で、自殺したらどうだつたか。別に誇張された想像ではない、思想家や文学者の自殺は珍しくないのです。

細川応援「文化人」らに問ふ――あなたは何様なのか

翻つて、『日刊ゲンダイ』が特筆大写してくれた細川応援「文化人」たち――。政治的な立場以前に、この「錚々たる顔ぶれ」の誰一人として、長谷川三千子氏と同じ地平で「言葉」を発する力量のある人はゐないやうだ。馬鹿馬鹿しいが、後学の為にも、同紙から引用して記録しておきませう。

瀬戸内寂聴氏「細川さんは優雅な生活を16年続けてきたのに、やむにやまれぬ気持ちで、国民のためにもう一度、働きたいと出てきた。その勇気と努力、情熱に感激しました。このままの日本の政治で行ったら、まもなく戦争に駆り出されるんですよ。殺されるんですよ」

澤地久枝氏「国会中継を聞いていると、この国の首相はますます狂っていると思いますが、誰も止められない。今度の都知事選は東京の意思が試されているだけでなく、世界に向かって日本人が何を求めているかを示す選挙だと思う」

なかにし礼氏「細川さんが出たとき、殿ご乱心といわれたが、今乱心しない人は鈍感です。敏感な人はみんな乱心する。（略）災害に強い都市は簡単につくれます。でも、放射能に強い都市はつくれますか。つくれないですよ。無力な人間はもっと謙虚にならなければいけません」

三枝成彰氏「日本は分水嶺にいる。ここで自分が何かをやらなければ、戦前のような日本に戻るのは嫌だ、と思った。細川さんに勝ってもらわないと日本の自由と民主主義は守れない」

これら細川応援の「文化人」らの言葉は、先の長谷川氏の言葉とは似ても似つかない。スピーチの引用だといふのは言ひ訳になりません。その人の地、言葉の実力は話し言葉にも充分出るものだからです。

瀬戸内氏は「優雅な生活を十六年続けてきたのに、やむにやまれぬ気持ちで」出て来た細川氏に「感激」してゐる。その細川氏は出馬会見で何と言つたか。

「都知事選に出るなどということはついこの数日前まで思ってもみませんでした」（一月二十二日、都庁会見場）

数日前まで思ひもよらなかつたといふのは全く準備をしないで出てきたといふ事だ。

最近オリンピックがあつたが、私が例へば記者会見を開いてこんな事を言つたら、瀬戸内氏は「感激」して応援に駆け付けてくれるのでせうか。

「日本の選手団を見てゐるとどうにも心許ない。私にとつてスケートは十六年ぶりだが、浅田選手たちの代りにメダルを獲得すべく、『やむにやまれぬ気持ちで』出場を決意致しました」

本気でこんな事を言へば、比喩でない「乱心」だ。だが、準備もせずにオリンピックの氷上に立つのと、準備もせずに都政の舞台に立つのと、どちらが程度のひどい乱心でせうか。政治を嘗めるのも大概にしたらどうか。

更に、瀬戸内氏は「このままの日本の政治で行ったら、まもなく戦争に駆り出されるんですよ。殺されるんですよ」と叫ぶ。反論するのも馬鹿馬鹿しいが、戦争は相手があつてするものだ。東アジア情勢において誰に領土の現状変更といふ「戦意」があるか。日本の安全保障を支へてきたアメリカの無気力化が急激に進む中、大陸諸国による核弾頭が我が国に対して隈無く配備されてゐるといふ現実にどう対処すれば「殺され」ずに済むか。

瀬戸内さん、あなたは一度でも真面目に考へた事がありますか。無論ないでせう。日本にも安倍首相にも「戦意」がゼロでも、今の日本にはさうでない相手がゐるのです。その冷厳な現実にどう対処するかが政治だ。尼さんのあなたが法句経に云ふ「妄語戒」を知らない筈はあるまい。自分の無責任な発言で多くの国民が全く見当違ひな政治判断をして、この国が本当に「戦意」ある相手に翻弄され、戦争に巻き込まれたら、政治以前に、仏道に対してどう責任を取るつもりなのですか。仏衣を纏つた外道でなくて何なのか。

なかにし氏は「災害に強い都市は簡単につくれます。でも、放射能に強い都市はつくれますか。つくれないですよ。無力な人間はもつと謙虚にならなければいけません」と言つてゐる。

何と傲慢な人だらう。災害に強い都市が簡単につくれる訳がないではないか。それは単に強いインフラの事ではなく、災害に対応できる行政、災害への心構へと訓練の行き届いた住民がつくるものだからです。さうした地味な努力の蓄積と、原発問題をどう着地させるかといふ粘り強い取り組みは同じ誠実さの表裏です。放射能の危険性についての多様な議論も検討せずに、こんな大風呂敷で人を攻撃し、その上「謙虚になれ」と説教までするとは、一体あなたは何様なのか。

三枝氏に至つては、云ふべき言葉は一つしかない。「ここで自分が何かをやらなければ」と言ふならば、佐村河内守氏の「ＨＩＲＯＳＨＩＭＡ」のやうな贋作以前の駄作を芥川作曲賞に推挽するなどといふ、音楽家としての致命的な判断ミスを恥ぢるのが先ではないか。あなたが「やらなければ」ならないのは、細川氏の応援などではなく、音楽の本物と偽物を見抜く眼力を磨き直す事でなくて何なのか。

頂点を継ぐ重圧を引き受けてゐる人間がゐるか

から見てみると、なるほど福田恆存のいふ通りです。彼ら「文化人」諸氏は「自分にはよくわからない」と言ふかはり、碌に考へも研究もしないで、「戦争で殺される」と絶叫し、首相を狂人呼ばはりし、謙虚になれと説教し、細川氏が当選しないと日本の自由と民主主義は守れないとまで断ずる。福田の言ふやうにこんな連中がたとひ一〇〇万人集まつたところで、確かに「問題はいつからうに解決され」ないでせう。

しかし、そもそも「文化人」とは何か。あへて馬鹿正直に解すれば、通常人に較べ一層深く文化に携はる人といふ意味でせう。では、文化とは何でせうか。Culture の訳語で、Cultivate = 耕すから出てきた言葉だ。初歩的な語釈をすれば、農耕から集落が生れ、社会に継続性が生れ、共同体の共通コードが形成、蓄積されてゆく事そのものが文化だと言へる。箸の持ち方が文化である。掃除の作法が文化である。墓参りの風習が文化である。

さうした総体の中から、自立した表現、自立した美となつたものが、いはば狭義の文化です。それが、文学や思想、音楽、美術などだ。勿論、箸を持つ事も広い意味では表現です。箸の持ち方一つでその人のお里が知れると、昔の日本人は考へた。その意味で文化とは生活の隅々に行き渡つた人間性の実現と言へるし、さういふ意味での生活の質が日本程、庶民に至るまで細やかで高い国民は稀でせう。

では、私達が普段使ひする茶碗と国宝になる茶碗の差は何だらう。厳密な境界線はない。真当な常識で考へれば、国宝になつて二億円もする井戸の茶碗より私達の喫茶の作法がきちんとしてゐる事の方が、余程本物の文化なのかもしれない。が、小林秀雄はそこを敢へて断ち切つて見せる。「美は信用であるか、さうである。」と。つまり井戸の茶碗が二億円するといふいはば「信用」「約束事」の世界がある事が、我々の生活に価値の秩序をも生む、文化にはさういふ機微があると言ふのです。

私が家で茶を啜れば暮らしの一風景だが、裏千家の家元が茶会を催せば文化的な催しになる。私が家でピアノを弾くのは趣味に過ぎないが、マウリツィオ・ポリーニが東京で連続演奏会を開けば、ポリーニ・プロジェクトといふ文化的な事件になる。

さうした「約束事」の世界、表現に転化された世界の頂点を狙ふのが、言葉の文字通りの意味で言へば「文化人」でせう。お茶の宗匠が担つてゐるのは、教授システムといふ利権だけではない、喫茶といふ平凡な生活的事実が人間的な表現の頂点に昇華し得るかどうかを賭けて戦つてきた四百年の歴史の重圧そのものだ。ポリーニも家のピアノを楽しみで弾く分には幸せだらうが、彼がベートーヴェン・チクルスをコンサートホールで発表すれば、これはたつた一個の人間として、二百年の伝統と対決するといふ重荷となつて、彼を苦しめる。その覚悟がないなら、彼らは「文化人」から降りねばならない。

長谷川三千子氏も又、小林秀雄といふ近代思想史の一頂点を頂点のまま継がうとし、そこを起点に、一方で西洋哲学に対峙する日本語による存在論に挑戦し、他方で、『正法眼蔵』といふ、禅僧の気合読みで多分に誤読されてきた古典を、言葉に精密に即して読み直さうとしてきた。正に本来の意味での「文化人」だと言つていい。

では、細川応援団の人達に、さうした頂点としての「文化人」は一人でもゐたか。頂点を継ぐ重圧を引き受けてゐる人間がゐるか。たとひ政治家応援の記者会見にせよ、さうした頂点を担つてゐる人にだけ可能な言葉が、そこに一言でもあつたか。

残念ながらそんなものは全くなかつた。彼らを見る限り、「文化人」とは文化の名によつて得た名声を悪用する詐欺師を言ふ——さういふ福田恆存流の「文化人」理解の方が、私の真面目腐つた「文化人」の定義よりは余程正確だといふ事になりさうだ。

「文化人」がすべき事は、街宣カーで叫ぶ事ではない

特に、重大なのは、今回彼らが、「文化人」の名において、細川護熙氏の「原発ゼロ」といふスローガンに同調し、そのスローガンの下に団結した点です。これは国家のエネルギー政策といふ国民の生命線に関はる問題だ。「国民の生活」といふ言葉が安直に使はれて久しいが、エネルギーの安定供給、その将来設計は、生活といふ以上に国民の生命に直結します。一歩間違へれば国家の命運を土台から危ふくする。戦前の日本の大陸進出や戦争の原因は、常にエネルギー問題が軸だつた。今も当然ながら、世界中の国がエネルギーを中心に動いてゐる。

エネルギー問題は国にとつての死活問題といふのは誇張ではない。実際にエネルギーを巡つて、熾烈な外交戦、技術競争が繰り広げられ、下手をすれば戦争になる。正に現時点におけるクリミアを巡るロシアの強硬な態度も、不凍港の確保といふエネルギー問題が根底にある。

日本の針路が、戦後かつてなく変化せざるを得なくなつてゐる今、細川、小泉といふ元首相が

二人も出張つてエネルギーに関する極論を主張し、言葉を本来の住処とする筈の「文化人」がそれに同調して「大集合」するならば、エネルギーに関する現実政策と文明論としての原発問題との高度な結合が目指されるのが、本来の姿でせう。
ところが、彼らは、全く逆の共鳴を起した。

この都知事選は、原発がなくても日本は発展していけると考える人々と、原発がなければ日本は発展できないと考える人々とのまさに戦いです。（略）西郷隆盛さんは「政府に尋問の筋これあり」と言って城山に帰りました。私もある意味でそういう、同じ気持ちを持って今回決意を固めた次第です。

細川氏はかう言つて出馬した。何が西郷であるものか。応援演説で小泉純一郎氏はこんな事を言つてゐるではないか。

原発ゼロなんて言ってるけども、代案を出さないで無責任だと言ってるが、この原発の問題、原発ゼロにしてどうなるかという問題を、一人で代案出せるわけがないじゃないですか。
ここまで子供でいいのか。無論、誰も小泉氏や細川氏一人に代案を出せなどと言つてゐない。

しかし大きな選挙に元首相が名乗りを上げ、自分から「争点」として大々的に問題提起する以上、時間を掛けて専門家チームを編成し、代案を準備しておく、それは寧ろ最低限の政治的な作法でせう。「尋問」されるべきは、こんな程度の認識で都知事選に出たあなたがたの方でなくて何なのか。

かうして、言葉、政治への関与の空疎さ、軽薄さに於いて、「文化人」と元首相らが見事なまでに対応してしまつてゐる。

一方、彼らが非難する安倍首相は、「原発ゼロ」を唱へない。しかし、安倍氏は、資源の供給源の多様化について、かつて日本の首相になかつた精力的な資源外交を繰り広げてゐる。ロシア、モンゴル、インド、アフリカ、アメリカ——中東への依存度を減らす全方位の資源外交に加へ、逆に、中東とは石油の関係だけではなく、安全保障の関係強化を打ち出して、石油以外の利害を共有しようとしてゐる。これこそが、現実的なエネルギー安全保障であり、原発依存度軽減への確実な道でせう。

福田恆存が「平和論への疑問」で、進歩的文化人に疑問を呈してから今年で六十年だが、理想と現実を少しづつ一致させるかうした地道な努力に向かつて平気で唾を吐きながら、「そらぞらしい議論」の周りで、政治が踊り、文化人が踊る光景は、どうやら変りないやうだ。

福田は、文化人達と何度も論争を重ねた上で、彼らが根本的に言葉の通じない人間である事に思ひ至ります。そして、最後にかう書いて論争を切り上げた、私は人間観から全てを発想する、が、彼らには人間観がない、と。

確かにその通りだ。人間観がない人間と何を論じても、そもそも土俵の上に相手はゐない以上、言葉は滑り続け、擦れ違ひ続ける。要するにスローガンに踊り、時流に踊り、踊つてゐる事にさへ気づかずに、自らが何らかの意味で正義だと思ひ込む人達——確かに、相手にするだけ時間の無駄かもしれない。が、私は、もう少し投げずに粘らうと思ふ。

文化人がすべき事は、政治家の街宣カーで叫ぶ事ではない筈です。そしてまた、脱原発か原発推進かといふ結論ありきの議論をどちらかに誘導する事でもない。

文化人である以上は、言葉の世界の矩（のり）に従ふといふ本来の任務がある筈だ。私はあくまでそれに則つて、原発論の論の立て方を整理し、その帰趨への若干の提言を試みてみようと思ふ。脱原発でも原発推進でもない。まつは基本的な意味で、論を立てるルールを丁寧に吟味する事——。

次項（後編）で、多少ともそれを試みられればと思ひます。

反原発文化人への手紙（後編）

（『正論』平成二十六〈二〇一四〉年六月号掲載論文を改稿）

原発を論じる作法

原発論は、福島原発事故以来、危険性、エネルギー政策、東電や国の責任問題、エネルギー利権、代替エネルギーの可能性、原子力を用ゐる事への文明論的な問ひといふ複数の問題意識を混在させたまま、専門家も含めた泥仕合が展開されてきた問題です。まづは、それを整理する事が先決だが、どうもさうした議論がなさ過ぎるのではないでせうか。

私見では、原発問題は三層に分かれる。第一に、国の長期的なエネルギー政策をどうするかといふ一番基本の議論。第二に、原発の危険性についての科学と統計に基づく厳正な評価、それも他の発電手段との比較を含めた検討。その上でなほ問題が残るとすれば、それは文明論、哲学の問題としての原子力利用、これが第三の層だ。

この三つは密接に関連する。が、まづはそれぞれを個別に検討すべきだと思ひます。すると例へば、エネルギー政策としては原発の再稼働は必要ないが、現在執拗に問題視されてゐる低線放射能は実は危険ではない、といふ結論になるかもしれない。或いは原発は国策として不可欠で巨額の研究投資が必要だが、文明論的には原発を否定すべきだといふ人がゐてもをかしくない。逆に研究の先に原発の無害化は可能だといふ議論もあるでせう。

ところが、この三つの論点がごつちやになると、どうしても、結論を先に立てた為にする議論が横行する事になる。実際、事故から三年も経つといふのに、危険性の科学的な確定も、エネルギー政策としてのメリット・デメリットに関する客観的な見通しも一向に出てゐない。私のやうな素人が原発問題の概要を知らうにも、結論先にありきの本ばかりで、信頼できる啓蒙書すら殆どない。自分を棚に上げて言ふ恰好になるから甚だ心苦しいが、一体日本の知識界は何をやつてゐるのだらう。平成二十六（二〇一四）年四月十一日に閣議決定された新エネルギー基本計画に対して『朝日新聞』は「なし崩しの原発回帰」と見出しを付けて批判したが、原発論といふ知的な世界の議論が、余りに定準と根拠を築けなかつたから、今更「なし崩し」などといふ見出しを付けるザマになる、さういふ反省を少しはしたらどうなのか。

聞こえのいい理念と共に、エネルギーの縮小が語られる

まづ、第一の問ひ、国の長期的なエネルギー政策について少し考へてみませう。端的な問ひから出発したい、日本は現状のエネルギー使用量を持続すべきか、それとも大幅に縮小すべきか。案外、ここで漠然たるエコ社会願望が幅を利かせて、議論が紛糾してしまつてゐる。「足るを知

る社会へ」とか「成長より成熟へ」といふ種類の聞こえのいい理念と共に、エネルギーの縮小が語られるのがそれです。

　だが、この問題の答へは明らかでせう。エネルギーを縮小すれば、日本の経済水準はまるまるその分縮小し、多くの人が生きてゆけなくなる。エネルギー使用量は基本的にＧＤＰと対応する。エコとか地球に優しいなどといふスローガン以前に、想像を絶する規模の産業が失はれ、技術も失はれる。だから、政治的には、エネルギー使用量は基本的に維持し、ＧＤＰの伸長に伴ひ発展させるといふ選択肢しかない。人口減少期に入つてしまつたからこそ、エネルギーの維持に努めないと、人口減少の更なる加速に手を貸し、近未来の日本人に「急激な衰退」といふ手土産を渡す事になる。

「水と安全はただで手に入る」――これは世界では通用しない日本人だけの常識だとよく言はれるが、我々はこの常識に慣れ過ぎてゐる内に、エネルギーもただで手に入るやうな錯覚に陥つてしまつてゐるやうだ。だが、そもそも、エネルギー問題は、資源のない我が国を、近代以後ずつと苦しめてきた最大の懸案です。大東亜戦争の主原因もエネルギー問題だ。この戦争を一言で覆ふ事は不可能だが、エネルギー問題への長期的不安と対米戦争のダメージを秤に掛けて前者の方が大きかつたといふ側面があつたのは否定できないでせう。一方、戦後日本が急成長できたのは、戦前、あれ程切望してゐた石油燃料の安定的な輸入が可能な国際情勢になつたからです。皮肉な事に大敗北を喫して、逆に戦争目的が達成される事になつた。

だから、戦後日本の為政者は、エネルギー問題には敏感でした。化石燃料には枯渇の心配があり、中東情勢やシーレーンなどの不安定要因がある。とりわけ昭和四十八（一九七三）年のオイルショックでその危機が肌身に迫る現実と化して以後、原子力発電によるエネルギーの多様化は急速に進む。その結果、平成二十二（二〇一〇）年十二月の段階で原子力発電三二％、水力発電七％、石油、ＬＮＧ火力発電三七％、石炭火力発電二四％といふバランスのよいエネルギー供給の形態で安定するところまで来ました。ところが、震災後の平成二十四（二〇一二）年十二月には、原子力発電二％、水力発電六％、石油、ＬＮＧ火力発電六六％、石炭火力発電二四％と、原子力政策以前の石油燃料全面依存に逆行してしまつた。

その結果、平成二十四（二〇一二）年度の燃料費合計は二十二（二〇一〇）年度から三兆円強増加、平成二十六（二〇一四）年春の電気料金は全国平均で震災前の一七％増、東京電力に至つては三〇％増、なかなかどうして消費増税どころではない。

では代替エネルギーの割合を上げればいいではないか。しかし、『正論』平成二十六（二〇一四）年四月号に掲載された北海道大学大学院教授奈良林直氏の「小泉流『脱原発』論の蒙昧」によれば、この四十年、代替エネルギーの研究が充分なされてきたにも拘らず、今の状態なのだといふ。

我が国は、昭和四十八（一九七三）年のオイルショック以後、当時の工業技術院を中心に、産官学の大規模なサンシャイン計画、ムーンライト計画などが巨費を投じて重点的に推進された。（略）住宅の断熱材強化やヒートポンプによる冷暖房の普及など、省エネに関しての取り組みは一定の成果を上げたが、発電技術に関しては、大きな成果が得られていない。四十年間にわたる壮大な研究開発を経ても、原子力や火力発電以外の分野での基幹エネルギーとなる発電技術の開発が困難である事を示している。

以上の諸条件を勘案するなら、考への手順は明白でせう。化石燃料系発電、原子力発電といふ主力エネルギー源の総合的なリスク比較を厳正に、多角的に行ふ。この場合、総合的なリスク比較とは、発電そのものの危険性だけでなく、エネルギー安全保障上の中長期的なリスク計算をも含む。資源外交の多角化もその中に含まれるし、国際環境によるエネルギー輸入事情悪化のシミュレーションもしておかねばならない。その上で両者の比率を定めつつ、代替エネルギーといふ「夢」の為に、今まで以上の「壮大な研究開発」を続ける他はない。

ところが、都知事選出馬の時、細川氏は、さういふ筋論とは全く関係ない、空想的な思ひ付きばかり主張した。出馬会見で「安倍首相はデフレ脱却に頑張っているが、人口減少社会に入った我が国は、寧ろ『成長が全てを解決するという傲慢な資本主義』から脱却し、『自然エネルギーのモデル都市東京』を目指すべきだ」と言つた。

中学生の作文コンクールではないのだからやめてほしい。奈良林氏が云ふやうに自然エネルギーを安定的に大量につくりだすのは非常に困難な挑戦だ。元気一杯だつた成長期の日本でさへうまくゆかず、他の先進国でも今のところ成功例はない。細川氏のやうに人口減少を追認し、成長を否定するやうな「撤退する精神」がそのチャレンジに成功する筈はないのです。茶碗を撫でまはす枯淡の境地で国の未来を撫でまはされてはかなひません。

高度成長期の日本は公害列島だつた。水俣病や四日市ぜんそくを始めとする公害が全国で多発した。日本人は、成長を止めるのではなく、成長を加速させながら、それらを解決しました。より成長しようとする意欲が、環境浄化や循環型の技術を生んだのです。今や最新鋭の処理施設では、汚染水は、鮎や鱒のやう敏感な魚さへ棲息可能だといふ。これは文明の進歩や経済成長から撤退しようといふ発想では不可能な話でせう。

CO_2削減でも日本は、米中日といふ世界の三大経済大国中、群を抜いて成果を出してゐる。世界での排出量比較で、中国二九％、米国一五％に対し、日本はたつたの四％だ（二〇一二年、オランダ環境評価庁〈ＮＥＡＡ〉報告書）。それでも、日本の環境論者は、中国やアメリカに出かけて文句の一つも言つてくれればいいのに、ダントツの成果を上げてゐる日本の政府と企業に向かつて、まだ削減が足りぬと罵詈雑言を浴びせ続けてきた。

又、さうした声に涙ぐましいまでに良識的に応へようとしてきたのが日本の企業であり、科学技術でした。そこに生き残りを賭け、成長を目指した。いはば道徳と技術と気概のベストミックスこそが日本の「成長」だ。バブル期の浮れ騒ぎを除けば、我が国は、基本的に「傲慢な資本主義」とは今日まで殆ど無縁です。

だが、そもそも、原発か自然エネルギーか、傲慢な成長か足るを知る生活かなどといふ粗忽極まる問題設定が、こんなにも横行し始めたのは何故なのか。間違ひなく「原発の危険性」といふ観念が絶対化してしまつたからでせう。しかし「原発の危険性」とは、実際のところ何を指すのか。

ベストセラー『原発のウソ』によつて独り歩きした「危険」

常識はかう言ふでせう。あれだけの地震と津波に晒され、反原発論者によると広島原爆の何千発分の放射能が漏れたといふ。その結果は今、目の前にある。事故そのものは極めて過酷だつたが、被曝が原因の死者はゐない。現状では発がんリスクとは関連しないといふ報告が上がつてゐる。更に、高線放射能汚染として立入り禁止になつてゐる区域内では、放置されてゐた家畜の多くが、可哀想に飢死にした一方で、植物の生息には影響が出てゐないやうだ（この区域内の放射能の、生物への影響に関しては、是非きちんと調査してもらひたい所です）。

私見では、原発論同様、原発の危険性についても、三つの視点から独立して検討されるべきだと思ひます。第一に原発施設が爆発する危険性と回避の方法。第二に高濃度の放射能漏れが広範に及ぶ危険性。第三に、今回現実に起きたやうな低線放射能が拡散した場合の被曝の危険性です。

私の見聞の狭い範囲では、これらを総合的に吟味した仕事は見当たらないやうだ。逆に、これらを意図的に混同して原発の危険性といふ観念を異常に増殖させてゐる一群の人達かゐる。それに乗つて出張つてきたのが、細川氏・小泉氏であり、応接する「文化人」達だと云つてもいいのでせう。

さうした議論の中でも際立つてゐるのが小出裕章氏です。福島原発事故の三カ月後に刊行された『原発のウソ』（扶桑社新書）が大反響を呼び、その後の民主党の政策に与へた影響も小さくなかつたやうだ。典型的なプロパガンダの手法に貫かれたインチキ本ですが、紙幅の関係で今回は低線放射能が危険だと断定してゐる箇所をご紹介しておきませう。原発の危険性として、今に至るまで尾を引いてゐるのはこの点だし、この本でも、本の半分を使つてそこを強調して、原発を止めようと訴へてゐるからです。

ところが驚くべき事に、放射能の恐怖を煽りに煽るこの本の全一八二頁中、低線放射能の危険性に関する具体的な記述は二頁しかない。その上、データが一切ない。

氏は、放射能には、そこから低い濃度なら健康被害は出ない「しきい値」があるといふ説を否定し、こんな風に断言してみせる。

ちょっとDNAに傷がついた程度でも、その傷が細胞分裂で増やされていくわけですから「全く影響がない」なんてことは絶対に言えません。「人体に影響のない程度の被曝」などというのは完全なウソで、どんなにわずかな被曝でも、放射線がＤＮＡを含めた分子結合を切断、破壊するという現象は起こるのです。

学問上、これは当然のことなんです。これまで放射線の影響を調べてきた国際的な研究グループは、みんなこのことを認めています。

（『原発のウソ』六九頁）

私は一読笑つてしまつた。「国際的な研究グループは、みんなこのことを認めている」とは、何と権威主義的な書きぶりでせうか。が、笑ひ事ではない。よく読めば、この箇所は、とんでもない詐欺論法だ。「人体に影響のない程度の被曝」を「放射線がＤＮＡに影響を与える」か否かと置き換へれば、それはあるに決まつてゐるではないか。

どんな微量の酒でも血中アルコールは検出される、どんな些細なストレスでも活性酸素によつて、がん細胞は必ず発生する。だから、たとひどんな微量でも「人体に影響のない程度のアルコール摂取」や「人体に影響のない程度のストレス」といふ言ひ方は「完全なウソ」だなどと力説する人がゐるでせうか。

適度なアルコール摂取を「人体に影響のない程度」だといふ時、それは肝臓に全く負担を掛けないとか、脳に全く影響がないといふ意味ではない。健康へのメリット・デメリットを総合的、統計的、経験的に処理して、程度を割り出すといふ話です。個体差はあるが、酒はある程度までならば「百薬の長」になる、が、程度を過ぎて長期飲用すれば、肝硬変や脳萎縮の原因になる。

「人体に影響のない程度」とは、健康と遺伝への有意な影響が認められるかどうかといふ「程度の議論」の事だ。それを小出氏は、絶対的な影響の有無に議論をすり換へてゐるのです。

かうした印象操作を施した上で、氏は放射能にはしきい値があると主張する説を二つ紹介します。低線被曝では細胞の修復効果が機能するから問題ないとする学説と、低線放射線は寧ろ免疫を強化し、健康によいとするホルミシス効果を主張する学説です。ところがこれらへの反論が凄い。それぞれの紹介はたつた一行づつ、それに対して、しきい値がないといふ立場の説と研究結果を五例羅列しただけで次のやうに結論づける。

これでお分かりの通り、私たちは原発事故によってきわめて長期にわたる健康被害のリスクを抱えこんでしまったのです。（前掲書七三頁）

「お分かり」になる訳がない。以上五例の説明が全部でたつた一頁だ。データも根拠も書いてゐない。これでは論告なしの一方的な死刑通告ではないか。

低線被曝が本当に危険か否か、どの程度どのやうに危険か否かこそが、原発事故後の日本の最大の論点です。確かに「しきい値なし」は現在主流の科学だ。しかし、主流の科学は、更新されるのが常であり、この件に関して言へば、放射線の残留力や低線での生体への影響には主流の理論で説明できない事実が余りにも多い。

長崎原爆投下後「爆心地で、七週間後にたくさんの蟻の列が見つかった。三カ月後には、みみずもたくさん見つかった」。これは被曝が原因で亡くなつた原子力の専門家、永井隆博士の『この子を残して』中にある証言だ。広島が原爆投下翌年の春には早くも新芽いぶく街になつた場面は、かの『はだしのゲン』にある。かうして数カ月の間に、人が戻り、農耕も漁労も始まつたが、それが原因で広島、長崎の白血病と癌発生が、長期的に全国平均を上回つた事実はない。ところが小出氏はこの本で、今度の原発事故で汚染された農地は「再生できない」とまで言つてゐる。広島・長崎の放射能と福島の放射能は別物だとでも言ふのでせうか。

また、世界には、自然放射線が非常に高い地域が存在する。中でも、イランのラムサールは、福島の高放射線地区以上、地域によつては年間二六〇ミリシーベルトの被曝量だが、複数の論文が癌発生の有意なデータは出てゐないと報告してゐる(「放射線の正しい知識を普及する会」、代表：渡部昇一氏。「ニュースレター第一号」にそれを報告する研究論文が四点紹介されてゐる)。

私が、東電、福島原発に関はる医師に聞いたところ、現在までの所、この医師の知る限り原発由来と判断できる有意な悪性腫瘍はないと断言してゐた。

一方、ラジウム鉱泉などの温泉に入る、飲用するなど、先に述べたホルミシス効果といふ健康増進術は広く知られてゐる。これは正に低線被曝そのものです。

私は何も「これでお分かりの通り、低線放射能は安全なのです」などと断言するつもりはない。しかし、以上私が羅列したのは「事実」として報告されたものばかりです。その「事実」

を説明できる専門家による科学的知見が欲しいと云つてゐるだけだ。それがこの本には一頁もない。

全編を通じても同じ論法が続く。「（チェルノブイリでは）『内部被曝』を受ける人たちが膨大な数にのぼりました。特に子どもたちが放射能で汚れた牛乳を飲み、小児がんに襲われました」（前掲書三七頁）などと数字なしに述べた後に、チェルノブイリの爆発の放射能は広島型原子爆弾の約八〇〇発分などといふ無意味なのに空恐ろしく見える数字を出す。読者の頭の中では小児がんと原爆八〇〇発とが観念連合して、途轍もない被害が出たと思ひこむ。チェルノブイリでは、確かに小児がん発症は六八四八人も出ました。しかし死亡例は一五人、つまり九九・八％は治つてゐるといふ。（渡部昇一・中村仁信『原発安全宣言』遊タイム出版七三頁）

恐ろしいのは、小出氏が一応科学者だといふ事で、これが原発関連書で一番売れた本だつた事だ。民主党政権時代の、年間ミリシーベルトといふ常識外れな放射能安全基準も、大方この本辺りが出所でせう。「危険」といふ言葉が独り歩きし、その言葉から思考や調査に踏み出す代はりに、その言葉の前で皆凝結してしまつたのが、民主党時代の原発政策だつた。

しかし、そもそも「危険」とは何でせう。巨大なエネルギーをつくる。それだけで必ず「危険」なのです。考へてもみてほしい。家に通電してゐる電気に感電しても即死する。それを狭い場所でその数百万倍も量産してゐる。それが発電所です。さういふ設備から「危険性」を厳密に排除するのはそもそも不可能に違ひない。それどころか、寧ろからうした「危険」は、人類の文明、高度な科学社会の宿命でせう。元々文明を選択するとは、恩恵と同時にかうした危険をも引き受けるといふ事に他ならない。危険を除去する努力は当然必要だが、その前提として、危険はどこまでも存在し続ける、といふ静かな大人の常識が必要ではないか。

どこ迄が正義や美徳で、どこからが罪なのか

これは、文明論としての原子力問題だと言ひ換へてもいい。問題の射程は遠い。何故ならそれは、プロメテウスが火を盗んだ時に始まるからです。

人間は火と言語を得た段階で、自然の外に出た。逆に言ふと自然から放り出された。勿論我々はどれだけの発明をしようが、富を得ようが、大規模な都市開発をしようが、一個の肉体に過ぎない。どんな人間でも七〇度の高温の中に何時間もゐれば脱水して死んでしまふ。水中に沈められれば三分で死ぬ。我々は肉体的には他の動物と変はらない。ところが、言語と火によつて全く次元の違ふ世界を生きる事になつた。

言葉と火は我々に文化と文明を齎らした。両者の化合により、壮大な都市が形成され、海を航海し、陸路を走り、仕舞には空を飛び、宇宙へ旅する事さへ可能になつた。愛、友情、勇気といふ美徳が生まれた。神への眼差し、悟りへの憧れも生じた。全て言語と火から生まれたものだ。

しかし人間はこの繁栄と美と倫理を発見した時、同時に、深い罪、苦悩をも背負ひました。火は文明を生む。しかしそれは自然の側から見れば、廃墟の拡大に他ならない。豊かな緑に覆ひ尽

くされ、あらゆる動物の生で織りなされてゐた大地は、石、煉瓦、コンクリートに塗り固められた。星雲の光に溢れた夜空は掻き消え、刺激的過ぎる電気の光とガス塗れの空気がそれにとつて代つた。生物の清潔な本能による生と死の無限連鎖の代り、邪悪な欲望と怨念が、地上を覆ふ。その巨大な失点を補ふかのやうに、戒律、絶対愛、空が説かれ、それらは時代と共に、偽善によつて地球を覆ふやうになつた。どんな神も美徳も、有史以来、国家にシステム化された戦争、殺戮のあの異様な衝動を浄化する事はできてゐない。

どこ迄が自然との共存で、どこからが環境破壊、環境汚染なのか。どこ迄が正義や美徳で、どこからが罪なのか。

恋は美しい、が次から次に女を抱く男は悪徳漢だといふ。しかし、勿論、人類と進化の系統図で最も近くまで並走してゐた猿たちに恋はない。剥き出しの性欲がある。その上、支配権を確立したオスがハーレムを形成し、多くのメスを自由に抱く。不道徳どころではない、これは猿のあり方の根源だ。あへて言へばストレートな力と性欲こそが、彼らの正義でせう。では、人間の罪はどこから生まれるのか、何がどこで変造されたのか、その根拠は何か。古来の神話、宗教も偉大とされる文藝作品も、未だ充分にその問ひに答へてきたとは思はれません。

文明の利器も同様だ。近代文明を決定づけるワットの電気の発明そのものがそもそも悪魔だつたのか。石炭、次いで石油を発見し、使へるやうになつた事が悪魔の誘惑だつたのか。それらは恩恵の一方で多大な犠牲を生みもしたし、それらがなければ大量殺戮兵器は生まれなかつた。でも、ある人は言ふでせう。いや、そこまではよかつた、善悪両用といふ事は、人がコントロールする事が可能なのだから。そして、かう付け加へるかもしれない。ノーベルが発明したダイナマイトこそが決定的な悪魔との添寝だつたのだ、大量殺戮といふ目的に特化した武器の発達を促したのだから、と。確かにもつともらしい。だが、大量殺戮は、これらの兵器の発明前から幾らでもあつた。ローマによるカルタゴの殲滅、支那で王朝交代の度に行はれる前王朝関係者全員の虐殺を挙げるまでもない。

いや、それでも爆弾こそは決定的な悪だ。虐殺は殺意なしに行へないが、今やミサイルはボタン一つで大量殺人が行へる。なるほど、一理ある。では一発で殺せる人数を定義してそれ以上を悪魔と見るか。通常ミサイルはまだ半分悪魔だが、殺戮人数の圧倒的な拡大と後遺症の苦痛を考へれば、原爆こそ完成された悪魔だと言ふのか。原子力も平和利用ならば神様からの贈り物なのか。いや、事故が起きれば平和とは言へない、だから原子力は平和利用も含め、これを推進する人間は全て悪魔の手先なのか。

しかし、事故を罪悪視するなら、電気や石油そのものの罪といふ考へ、更に言へば、ガリレオとニュートンがゐなければ、つまり近代自然科学がなければ、電気の便利さもない代り、悪魔も出現しなかつた、だから自然科学こそがその悪魔だといふ振出しに戻りはしないか。それならば、我々が客観的な世界像と考へてゐる科学の知見の全部が悪魔による仕掛けなのか……。

核の時代における新事態と難題

逆にかうした問ひは無意味で、要するに科学技術の発展のプロセスのどこにも決定的な悪魔との添寝の「一線」はなかつたのか。プロメテウスとイヴの後裔(こうえい)たる我々は、今後もひたすら突き進めるだけ進めばいいのか。

さう言はれれば、私もそれには大きな躊躇を感じざるを得ない。一線はあるのではないか、そしてそれはやはり原子力なのではないか、ここで何かそれまでとは根本的に別の事態が確かに生じたのは間違ひないのではないか、と私の直観は言つてゐる。

例へば自動車の発明以来の全犠牲者は、間違ひなく原爆の死者を遥かに上回ります。原爆では広島、長崎を含めて二〇万人が犠牲になつた。一方、飲酒運転の厳罰化で死者が激減した今でも年間五〇〇〇人以上が自動車事故で死ぬ。累計すれば自動車発明以来の死者は日本だけで一〇〇万人を下るまい。といふ事は、世界では数千万人になるのではないか。だが、それでも原爆に感じる悪魔の臭ひを車に感じる事はない。これは慣れでもなければ、損益計算の上でメリットの方が大きいなどといふ理由でもないのではないか。

核兵器には何かがある。それは何か。

それが、ある絶対にまで達した力だといふ事ではないか。

核兵器を持つた人間集団が、真に邪悪である時、それは比喩ではなく、絶対的な意味で悪をなせる、つまり敵の絶滅、人類全部の絶滅さへ可能な手段、それが核兵器だといふ点、これはやはり決定的なのではないか。

こんなものはかつてなかつた。電気そのものにも石油にもダイナマイトにもこの絶対的な破壊力はない。そして、絶対的な破壊力である事によつて、核兵器は、人類にとつて根源的な善悪の踏絵となつた。人類は、邪悪さに対してかつてない判断や決断を求められる事になつたのです。政治指導者や政治集団を、原子力を良心的、抑制的に使ふ人間と、邪悪に使ふ事を躊躇はない人間の二種類に厳密に弁別しなければならない、さういふ踏絵だ。しかも、発明してしまつた核兵器を今更なかつた事にはできない。核兵器を廃絶してもつくる能力そのものを抹殺はできないからだ。人類に当面許されてゐるのは、核をどう管理するかといふ現実政策上の合理性だけだ。

原爆発明以後、世界は米ソ冷戦、そしてアメリカによる一極支配の二つの秩序しか経験してゐません。米ソは核の均衡と恐怖によつて、核戦争を辛うじて回避した。アメリカ一極時代は、ヒューマニズムを国是とするアメリカの良識が核の使用を阻んだ。その国是の偽善性や世界の警察官を任じながら国家エゴを追求する一面をどんなに難じても、アメリカが核時代の超大国だつた事の絶大な恩恵と安心感を帳消しにはできない。一極がロシアや中国だつたらどうであつたかを考へれば、このアメリカによる支配が相対的には、極めて望ましいものであつた事は容易に理解されませう。

逆に言へば、今、世界は、核時代になつて初めて、アメリカの衰退といふ核に関する新事態に直面してゐる。しかもそれに中国の台頭がセットされてゐる。毛沢東は核戦争によつて、敵ではなく自国民が犠牲になる事さへ何とも思はなかつた。習近平氏は自らをその毛の後継者と任じてゐる。

勿論、現代社会は綿密な相互報復システムを構築し、更に経済における互恵関係も根深い。為政者が互ひに合理的な判断しかしないならば、核兵器は強力な通常兵器の延長でしかない。だが、世界の為政者らが今後永久に合理的な判断をし続ける事はあり得ない。いや、逆に、合理性のなれの果ても恐ろしい。世界秩序を揺さぶる為に、局地的核戦争は、選択肢になり得る。悪魔さへも利用する新手の合理主義だ。そして、世界の主要プレイヤーがもし一度その禁断の実の利用をちらつかしたが最後、いつ本物の邪悪さが、核のボタンの前に座るか分らない。アメリカ一極支配後、どう世界的な案保障を継続して保持するか、これは、この七十年の経験では測れない大変な難題だと思ふ。

笑ひ事ではなくなつた「終末論」「ユートピア思想」

しかし、さうした国際政治の新たな局面と違ふ意味でも、原子力の発明は、人類に全く違ふ次元を切り開いた。核融合といふ、太陽で起つてゐる物理現象を、我々人間がごく小さな空間に閉ぢ込めて再現したのが原子力です。先ほど来の議論に戻れば、自然の根源力を人間が使ふといふ意味で、これは、プロメテウスが発見した自然の火の完結編だと言へる。つまり、我々が今ゐるのは、プロメテウスが始めた環が完結した後の世界なのです。

その意味で、原子力の発見、利用は、精神史的な問題でもある。といふのは、これは終末論に対応すると共に、ユートピア思想とも対応する現象だからだ。核兵器の大量生産以前には、リアリズムの立場からは、終末論もユートピア思想も、空想の産物に過ぎなかつた。が、原子力が切り開いた絶対悪の可能性は、リアリストがこれらの思想を空想と笑ふ事を許さなくなつた。キリスト教の「神の国」から、アンリ・ベルグソンによる「創造的進化」、近年ならば、例へばアーヴィン・ラズロ氏の「情報の記憶体としての宇宙」といふ仮説まで、様々なユートピア的な思想が人類の歴史には出現しましたが、絶対悪の出現によつて、好むと好まざるとに拘らず、現実が、さうしたヴィジョンに追ひ付いてしまつたとも言へます。

安直なユートピア思想は確かに欺瞞的です。反原発論について言へば、その論者らは、原子力の破壊性に終末論を重ね合はせ、その事によつて、逆に、脱原発をユートピアのやうに空想してゐる。だが、原発ゼロも自然エネルギーもユートピアなどでは全くない。つい数十年前までの原子力なき社会は、全くユートピアではなかつた。

だが、それにも拘らず、原子力の発明は、最上の意味でのユートピア思想を要請し始めてはゐるのではないか。

火と言葉によつて成長してきた人類。——火は原子力によつて一旦、神話の円環を閉ぢた。ならば、それに応じて、言葉の方も又、火と言葉がぶつかりながら破壊と創造を繰り返すプロセスを超克する世界観、内なる絶対善といふ人類が追ひ求めてきたユートピア思想の再吟味の時が来てゐはしないであらうか。それがプロメテウス神話とイヴの寓話(ぐうわ)とを両方所有する人類に課された重い罪であり、罪ゆゑの責務ではないか。我々はつひに火と言葉の囚はれの身なのか、それとも、それらを通じて、解放されるべき存在なのか。その可能性はあるのか、といふ問ひです――。

＊

あの細川応援「文化人」から出発した議論が、余りに遠くまできてしまつたといふべきでせうか。

しかし、さうだとすれば、逆に彼らは一体何者なのか。私が今、拙い形で展開したやうな議論こそが、「文化人」が本来論ずべき領域なのではないのでせうか。勉強もせずに、脱原発のアジ演説をぶつのではなく、確かな言葉を編み出さうとする事。深い問ひをつくりだし、現実の世界と応酬できるだけの言葉の力をつくり出さうとする事。勿論、これは進歩的文化人に対してだけではなく、保守系文化人への要請でもある。国家ヴィジョンなき単一主題での極論、レッテル貼り、陰謀論、批判といふより罵倒、保守論壇の一角がさうした言説に溢れてゐる事は今や周知でせう。我々「文化」の領域の住民は、プロメテウスの後裔ではありません。好むと好まざるとに拘らず智慧の実を食べたイヴの後裔です。

せめてその自覚を持つ事、まづはそれが「文化人」の節度であり、責務ではないか。
「文化人」諸氏の御返事を待ちたいと思ひます。

第四章

日本が世界で勝つために——戦ふ作法

安倍晋三外交私論

（『Voice』平成二十六〈二〇一四〉年四月号掲載論文を改稿）

たつた一年で、プレイヤーとして世界に認知された

「安倍晋三外交私論」と題したが、そもそも、誰が外交の舵取りをしようと変らぬ厳し過ぎる現実が、今日本の眼前にある。

言ふまでもなく中国の台頭です。中国内政の不安や経済のバブル性、軍が張り子の虎ではないかなどといふ中国蔑視論が我が国には多いが、よくない傾向です。世界情勢といふものは、杞憂（きゆう）の上に杞憂を重ね、怖がり過ぎの観測に基いて国力を増進するのが当り前で、自前の安全保障も核も、対称的な軍事同盟国もない日本が、敵意ある巨大な隣国を蔑視するのは、左巻きの平和ボケ以上の、致命的な平和ボケではないか。私は、杞憂を後で幾ら笑はれてもいい、中国の危機への強烈な自覚からしか、日本の活路を発想できないといふ立場を、日中関係が完全な安全圏に抜け出るまで堅持するつもりだ。因みに本当に怖いのは寧ろアメリカだ、などといふ議論も、対中関係で安全圏に抜け出せないやうな体たらくを放置した上で幾ら名論卓説や、まして陰謀論を振

り回しても、所詮犬の遠吠へに過ぎない、順番が違ふと思ふ。

『Ｖｏｉｃｅ』平成二十六（二〇一四）年三月号に、我が国にとつて深刻な二つの記事が掲載されてゐました。一つはＨ・ストークス氏のインタビュー「日本悪玉論のウソ」であり、もう一つは古森義久氏の「オバマ政権の『失望』に反論する」です。ストークス氏は「このクラブ（外国特派員協会）には約二〇〇〇人の会員がいますが、おそらくその半分は安倍首相のことを『右翼のナショナリスト』と考えています」と述べてゐる。また、古森氏はオバマ政権第二期の極端なリベラル・左傾と中国接近、反安倍の根深さと過激さを指摘しつつ、「安倍氏はアメリカや国際的な基準でそれほどの保守というわけではないが、アメリカのリベラル学者からは軍国主義者扱いされている」といふ。

後で見るやうに、安倍外交は、多彩・綿密で芸も細かく、また、安倍首相の外交演説は政治言語として非常に高度なものだ。自身が国際メディアの一部で右翼と見られてゐる事を意識した上で、洗練された切り返しや誤解を解く表現に満ちてゐる。演説の発達してゐる欧米一流のスピーチに、それは充分比肩するものでせう。

だからこそ、世界中で、安倍＝右翼のイメージが拡散してゐるとすれば、それは異常な事であり、問題なのです。

要するに、安倍氏の外交姿勢の問題でも、そのプレゼンテーションの問題でもない。これまでの日本が、長きにわたつて、自国を説明する充分な対外的な言語を、外務省、アカデミズム、論壇、文壇から個人ブログに至るまで、余りにも持たないで来た、その我々総出での極端な内向き、精神的鎖国の結果を、今、安倍氏が「右翼といふ誤解」といふ形で引き受けてゐるとも言へる。

ところが、それに痛みを覚えるどころか、国内で聞こえる声は、相変はらず、馬鹿げたものばかりだ。

昨年末の靖国神社参拝に関しても、「サンデーモーニング」や「報道ステーション」のやうな、安倍叩きを社是としてゐる番組だけでなく、池上彰氏のやうな、比較的穏健なニュースキャスターの番組も、実にひどいものだつた（平成二十六〈二〇一四〉年一月十三日、テレビ朝日系「池上彰の学べるニュース」）。

番組は、まづ、今回の靖国参拝について、安倍首相が外交的配慮よりも自分の「行きたい」といふ思ひと保守系支持者の声を優先したと論評する。その上で、中国、韓国に加へ、EU、ロシア、台湾、アメリカからの批判を紹介し、安倍外交の国際孤立を強調した挙句、つひには、こんな事まで云つてのける。

池上　国際的な論調としてみればそれまで言ってみればパク・クネ大統領があちこちで日本の悪口言って回ってた、告げ口外交だよね。行き過ぎだよね、嫌だよねっていうのがありましたよね。韓国国内でもあったんですけど、今回の安倍さんが靖国神社を参拝した事によって、ああ日本が態度を改めないから関係が悪いんだって言ってたパク大統領の言い分には、それなりの。

土田晃之　正しいんだと。

池上　があるんじゃないかっていう話になって。むしろパク・クネ大統領が日本を批判してたのは、そりゃそうだよね！　って言う風に国際論調が変わりつつあると……。

そもそもこの番組では、参拝を安倍氏の「思ひ」の問題に矮小化しておきながら、靖国参拝に合せて発表された安倍首相談話「恒久平和への誓い」といふ非常に重要な文書を紹介も分析もしてゐない。この文書は、参拝理由や参拝批判への応答を含め、非常に周到なものだ。また、安倍首相は就任以来、外遊の度に世界で戦没者慰霊を重ねて、自身の生き方、あり方を示してきた（次の見開き参照）。

靖国参拝とは何か、戦死者慰霊とは何か、国家のリーダーはどうあるべきか――安倍首相は参拝と「恒久平和の誓い」によつてさういふ球を投げた。池上氏は、その肝心な問ひから逃げて、ステレオタイプの参拝批判へと視聴者を誘導する。それも、要するに、外国を刺激したから悪い、国際社会で孤立するとの一点張りだ。

ここには単なる偏向報道以上の病理があります。原理的な問ひから逃げる事と、外国の反応に

安倍内閣総理大臣の談話
～恒久平和への誓い～

平成25年12月26日

本日、靖国神社に参拝し、国のために戦い、尊い命を犠牲にされた御英霊に対して、哀悼の誠を捧げるとともに、尊崇の念を表し、御霊安らかなれとご冥福をお祈りしました。また、戦争で亡くなられ、靖国神社に合祀されない国内、及び諸外国の人々を慰霊する鎮霊社にも、参拝いたしました。

御英霊に対して手を合わせながら、現在、日本が平和であることのありがたさを噛みしめました。

今の日本の平和と繁栄は、今を生きる人だけで成り立っているわけではありません。愛する妻や子どもたちの幸せを祈り、育ててくれた父や母を思いながら、戦場に倒れたたくさんの方々。その尊い犠牲の上に、私たちの平和と繁栄があります。

今日は、そのことに改めて思いを致し、心からの敬意と感謝の念を持って、参拝いたしました。

日本は、二度と戦争を起こしてはならない。私は、過去への痛切な反省の上に立って、そう考えています。戦争犠牲者の方々の御霊を前に、今後とも不戦の誓いを堅持していく決意を、新たにしてまいりました。

同時に、二度と戦争の惨禍に苦しむことが無い時代をつくらなければならない。アジアの友人、世界の友人と共に、世界全体の平和の実現を考える国でありたいと、誓ってまいりました。

日本は、戦後68年間にわたり、自由で民主的な国をつくり、ひたすらに平和の道を邁進してきました。今後もこの姿勢を貫くことに一点の曇りもありません。世界の平和と安定、そして繁栄のために、国際協調の下、今後その責任を果たしてまいります。

靖国神社への参拝については、残念ながら、政治問題、外交問題化している現実があります。

靖国参拝については、戦犯を崇拝するものだと批判する人がいますが、私が安倍政権の発足した今日この日に参拝したのは、御英霊に、政権一年の歩みと、二度と再び戦争の惨禍に人々が苦しむことの無い時代を創るとの決意を、お伝えするためです。

中国、韓国の人々の気持ちを傷つけるつもりは、全くありません。靖国神社に参拝した歴代の首相がそうであった様に、人格を尊重し、自由と民主主義を守り、中国、韓国に対して敬意を持って友好関係を築いていきたいと願っています。

国民の皆さんの御理解を賜りますよう、お願い申し上げます。

安倍内閣総理大臣による慰霊の一覧

日付	国	場所	内容
平成25年2月2日	日本	国立沖縄戦没者墓苑	献花
平成25年2月2日	日本	防長英霊の塔	献花
平成25年2月2日	日本	平和の礎	視察
平成25年2月23日	アメリカ	アーリントン基地	献花
平成25年3月31日	モンゴル	日本人抑留中死亡者慰霊碑	献花
平成25年4月14日	日本	硫黄島戦没者の碑	献花
平成25年4月29日	ロシア	無名戦士の墓	献花
平成25年4月29日	ロシア	ドンスコエ日本人墓地	墓参
平成25年5月25日	ミャンマー	殉職者廟（アウンサン廟）	献花
平成25年5月25日	ミャンマー	イエウェイ日本人墓地	墓参
平成25年5月27日	日本	千鳥ヶ淵戦没者墓苑	献花
平成25年6月15日	ポーランド	無名戦士の墓	献花
平成25年6月23日	日本	国立沖縄戦没者墓苑	献花
平成25年7月27日	フィリピン	ホセ・リサール記念碑	献花
平成25年8月15日	日本	千鳥ヶ淵戦没者墓苑	献花
平成25年8月15日	日本	全国戦没者追悼式	献花
平成25年10月26日	日本	自衛隊殉職隊員追悼式	献花
平成25年11月16日	カンボジア	タンコーサン寺院	献花
平成25年11月16日	カンボジア	ウナローム寺院	献花
平成25年12月1日	日本	東日本大震災の岩手県警釜石警察署員	献花
平成26年3月11日	日本	東日本大震災三周年追悼式	献花
平成26年3月23日	ドイツ	アンネ・フランクの家博物館	視察
平成26年4月30日	ドイツ	東西時代の検問所「チェックポイント・チャーリー」壁博物館	視察
平成26年5月1日	イギリス	無名戦士の墓（ウェストミンスター寺院）	献花
平成26年5月5日	フランス	無名戦士の墓（凱旋門）	献花
平成26年5月26日	日本	千鳥ヶ淵戦没者墓苑	献花

すぐおたおたする事――これは、戦後現在に至るまで、日本の要路の人間にあまねくしみついてゐる病理だが、池上氏の問題の取り上げ方は、偏向報道以前に、この二つの病理の典型だと言へる。

最初に挙げたストークス氏や古森氏の指摘する誤解の蔓延は、正に、さうした日本側の、「原理思考なきおたおた」の多年の集積なのだ。だから、この事は政治家や官僚、財界人に、特に釘を刺しておきたい。各自がもう少し原理的に物を問はうとしなければ駄目です。勉強と世界に向けての説明能力の向上、そして肚をつくり直さねば駄目だ。さもないと、ポストアメリカ一極時代をまともな大人の国として生きてゆかれなくなる。

安倍首相への世界の批判、大いに結構ぢやありませんか。大体世界政治の主要プレイヤーで、メディアから褒められる人間などゐません。安倍氏への批判が世界化したとしたら、それは中国の台頭に完全に埋もれきつてゐた日本の政治リーダーが、逆に、たつた一年で、一流プレイヤーとして認知されたといふ事に他なるまい。要するに、この埋没の危機の中、世界政治の中で批判に足る存在感とポジションを、安倍首相は手に入れた。ただ、氏が一人、突出し、我々には安倍外交を守る対外言論が何もない。保守派は大急ぎで外に向けて通用する言葉を発しないといけない。さもないと総理一人を世界で孤立させる事になりかねない。

「文明の基準」を示す演説

では、その安倍外交の特徴は何でせう。まづ、それは極めて地政学的に考へ抜かれた外交、全方位的な外交だと言へる。

最初の訪問がＡＳＥＡＮ三カ国、それも特に親日的な国にまづ梯子を掛けて、その後三度に分け、一年でＡＳＥＡＮ全一〇カ国を回つた。そして、その締めくくりとして、政権発足約一年後の平成二十五（二〇一三）年十二月に、東京にＡＳＥＡＮ首脳を招いてアジアの盟主であるかのやうな、壮大な外交劇を演じた。

地域全体を日本一国で遇するといふ一種の大国外交は、対アフリカ外交にも共通します。六月にアフリカ主要国首脳五〇名程を招いた「ＴＩＣＡＤ Ｖ」は過去五年毎に開催されてきた同会議でも最大規模でした。

ＡＳＥＡＮにしてもアフリカにしても、二つの大きなポイントがある。

一つは、潜在的な成長力を爆発的に秘めてゐる事。

そしてもう一つは、両地域ともに、中国がこの十年ないし二十年にわたり、物凄い勢ひでコミットし、宣伝戦と金銭のバラマキによつて、俄かに巨大なマーケットをつくつた地域であるといふ事だ。中国の貿易高は、今や、対ＡＳＥＡＮでさへ、長年関係を深めてきた日本を抜いて約一・二倍、アフリカに至つては約五倍に達してゐる。

だが、安倍外交は、かうした中国の後を、大変だ、こつちもそれゆけ追ひ越せとばかりにあたふたと追ひかける安つぽさが全くない。逆に、日本独自の国柄を丁寧に浸透させる手に出た。例へばＴＩＣＡＤでの演説では、日本の対アフリカ支援を次のやうに思想として語つてゐます。

「貧困は、成長によって克服できると考えることは、私達日本人には、当初から、自明でした。それはアフリカの潜在力を、疑わなかったからでもあります。

自助・自立・成長重視。いまや力強い前進を続けるアフリカから、この二つを熱望する声が、澎湃と上がるのを見るにつけ、私は、「ＴＩＣＡＤ Ｖ」の行き方は間違っていなかった、ＴＩＣＡＤが夢見た未来はいまや実現しつつあるのだと、誇りをもって、宣言したいと思います」

その上で首相は、日本はアフリカにとつて自立の為の教育的なパートナーになるといふ、いはば大国の振る舞ひ、つまり「文明の基準」を示した。さういふあり方自体を、日本らしさとして、売り込む。かうした外交姿勢が実利に結び付くのは時間がかかるかもしれない。しかし、外交姿勢を国力にしなければ、独裁中国の物量作戦に抗して独自の位置を日本が占め続けるのは難しい、そして一つひとつの地域での対中敗北の積み重ねが、日本そのものを失ふ一里塚になりかねない事を思へば、だからこその長期的な「文明の基準」外交なのだと言へるでせう。

一方、ＡＳＥＡＮとの関係強化は、とりわけ安倍外交一年の最優先課題の一つでした。十二月の日本・ＡＳＥＡＮ特別首脳会議では、共同声明で、中国の防空識別圏拡大を意識して、従来安倍首相が強調してきた海上の安全に加へ、航行の自由の文言が入つた。『朝日新聞』などは防空識別圏といふ言葉そのものを共同声明に入れる事に難色を示す国があつた事を強調し、「足並み揃わず」を繰り返したが、勿論、完全に日本寄りに足並みが揃ふ筈など最初からない。ASEAN諸国が日中両大国との関係を対等に図らざるを得ない状況に持ち込んだ事が最大の成果だ。

さらに、ロシアとのかつてない友好関係の演出も安倍外交の際立つた特徴です。プーチン大統領とは、既に五回の首脳会談によつて、個人的な友情が生まれてゐるやうだ。ソチ五輪では、西側諸国が人権問題で難色を示して首脳の開会式出席を相次いで見送る中、ギリギリのタイミングで、参加を決めた。日ロ接近を警戒してゐる習近平がそれを察知して参加表明をする。正に、日本外交が、プーチンに恩を売り、西側やアメリカの意表に出、中国を走らせた訳だ。外交の主導権を取る、ゲームで半歩先に出る。戦後日本にかつてない外交です。

とりわけ注目に値するのは、最近の安倍氏が、北方領土返還と日ロ平和友好条約締結への強い意欲を言葉にし始めた事だ。事務レベルではロシアの当りは非常に厳しいと報じられてゐる。それは当然だが、日本側のトップとして安倍首相が、強気の言及を始めたといふ事は、首相にそれなりの感触があるか、領土問題と平和条約をセットにして解決するならば、ロシアにも大きな利益になるぞといふ強いサインかの、いづれかでせう。

例へば、次のやうな気になる記事が平成二十六（二〇一四）年二月六日付『毎日新聞』に出てゐる。

中国がロシアに対し、従来日本領と位置づけてきた北方領土の領有を承認する代わりに、沖縄県の尖閣諸島を「自国領」とする中国の主張を支持するよう、水面下で打診していることが分かった。働きかけは２０１０年に始まり、現在も続いているとみられるが、極東開発に日本の協力を求めるロシアは、中国の提案に応じない構えだ。日ロ外交筋が明らかにした。

これが本当ならば、正に、このやうな何でもありの中国のやり口に対して、北方領土問題を、我々が旧来の原理的主張のみを繰り返して、下手な守りの場にしてしまつては、逆に日本が全方位的に詰んでしまひかねない。私の素人目には、安倍対ロ外交は、本能寺の変を聞いた秀吉の備中大返しのやうに見えるが、どんなものか。

しかし、勿論ロシアべつたりではない。一月の訪印では、ロシアの原発市場であつたインドから新規の原発受注を取り付け、ロシアを慌てふためかしてもゐる。まさに、テーブルの上でにこやかに握手をしながら、その下でけたぐりをし合ふといふ外交の基本を絵に描いたやうだ。ロシア資源の輸入や開発への日本の関与についても、一筋縄ではゆかぬといふサインでもあらう（※本項末の註参照）。

更にインドでは、米印軍事合同演習に、海上自衛隊も加はる合意を取り付けた。モンゴル、トルコとの関係を強化し、中東とも資源のみならず安全保障や人材育成の次元を開く。ＥＵとも安全保障の協議に入つた。かうして、従来の枠を超えたところで、安全保障と資源外交をセットにするのも今回の安倍外交の特徴です。これが世に言はれる対中包囲網である事は明らかでせう。が、がさつな意味でさう取るとちよつと間違ふ。安倍外交はもつとしなやかな、そして日本の国柄そのものに根差した本質をも持つてゐる。

従軍慰安婦問題に対するカウンターパンチ

日本は、戦後的価値観から脱却できぬまま、敵意剥き出しの隣国とのパワーバランスが拡大する一方といふ、非常事態のただ中にゐる。その中で、とにかく国際社会での「力」をキープする最速の道は何か。――その際、安倍氏が採つた基軸的な方法は、価値観や原則の提唱、つまり言葉の力を、最大限外交的な力に転用しようとする道でした。

その皮切りは、政権発足直後に発表された、対ＡＳＥＡＮ外交五原則、特に一項と二項です。

一、自由、民主主義、基本的人権等の普遍的価値の定着及び拡大に向けて、ＡＳＥＡＮ諸国と共に努力していく。

二、「力」でなく「法」が支配する、自由で開かれた海洋は「公共財」であり、これをＡＳＥＡＮ諸国と共に全力で守る。米国のアジア重視を歓迎する。

この二点は、その後も様々に変奏され、安倍外交の通奏低音となつてゐる。まづ「自由、民主主義、基本的人権等」を「普遍的価値」とし、その「定着と拡大」を、我が国の外交の目標に据ゑた事。無論これは「弾圧、独裁政治、政治的殺人や拷問」を自ら許してきた隣国への強い牽制だ。しかし一方で、西洋近代固有のイデオロギーである「自由、民主主義、基本的人権等」を「普遍的価値」として、いはばアメリカ流儀で振りかざす道を安倍氏が選択してゐるやうには見えない。後で少し具体的に外交演説を検証しますが、寧ろ、安倍首相は、これらを使ひ勝手のいい概念と考へ、日本流にやはらかくアレンジしながら、日本のあり方といふ「普遍性」を世界に流通させる道具に転用しつつあるのではないか。

第二項の「『力』ではなく『法』が支配する世界」も、この第一項と連動してゐる。これ又、直接的には、海洋進出を強く狙つてゐる中国への牽制球であるのは間違ひないが、「価値の提示」といふ形での牽制は、守りがそのまま攻めとなる。力に対してその不当性をなじるだけならば、言葉の上では泥仕合、現実には軍事力が勝敗を決めます。が、力の不当な行使そのものを打消す道具として「法」を持ち出し、それを世界中で提唱するとなると、「法」といふ次元の違ふ力が、外交力として発生するといふ仕掛けです。

安倍外交の原則提唱としては、次に「女性の輝く社会」への積極的なコミットが挙げられる。これは、より具体的には「女性の社会進出を促せば促すだけ、成長率は高くなる」といふウィメノミクスの推進であり、UNウィメンといふ国連内の女性地位向上の組織との連携だ。

これなどは一見、如何にもフェミニズム的に見えるかもしれない。が、根つこが違ふ。

第一に、安倍首相は、既に世界で右翼といふ偏見に晒されてゐる。女性重視といふ発信は、安倍政治の基調が、戦争を忌む女性の側に立つものだと示す意味がある。

実際に、日本と世界では女性差別の意味が本質的に違ふ。世界中の多くの地域で、女性は、現に今なほ、極端な差別、性的な虐待と暴力に、晒されてゐる。長年の各地域の習俗が、その改善を阻み、また政情の不安定な政権や軍政、実際の戦争や紛争の中で、女性は犠牲になりがちであり、それは無数放置されたままでせう。

安倍首相が女性を取り上げる視線は、さういふ本質的な意味での女性への暴力や差別に向けられてゐて、ぶれない。国連演説では、首相は世界で活躍する三人の女性を紹介しましたが、その顔触れにそれがよく表れてゐます。一人目は、ヨルダンで現地に溶け込んで性的虐待に苦しむ人々を救ふ日本人女性、二人目は、バングラディシュで（日本製品の販売インストラクターといふ）手に職を付けて自立する女性、三人目はアフガニスタンの女性殉職警察官です。女性を語りながら、安倍首相が打ち出してゐる主題は明確だ。性的虐待からの保護、女性の職業的自立、そして安全保障です。語られてゐるのは、先進国左派が推進するフェミニズムとは全く違ふ。

特に注目したいのは、国連演説での次の一節です。

「憤激すべきは、二十一世紀の今なお、武力紛争のもと、女性に対する性的暴力がやまない現実です。犯罪を予防し、不幸にも被害を受けた人たちを、物心両面で支えるため、我が国は、努力を惜しみません」

これは明らかに、韓国が宣伝して歩いてゐる従軍慰安婦問題に対するカウンターパンチでせう。

慰安婦問題で必要な事は、嘘を暴き、事実を学術的に定着させる努力、そして、次に、日本の国力を付けて、こんな無法なチャレンジを中韓に諦めさせるといふ二点だが、残念ながら両方とも時間がかかります。そこで安倍外交が打つた手が、逆転の発想だ。日本が今現に、女性の性的虐待問題を世界でリードする事を打ち出す。日本人は世界中で品格と親切で音に聞こえてゐます。こんな民族が、数十年前に、国をあげて性奴隷を虐待したなどといふ事があり得ようか。正に日本の国民性に信頼して、安倍首相が、日本こそ女性問題のフロンティアだと宣言した事になるわけです。

ただ、女性、女性と言ひ過ぎると、日本国内では諸刃の剣になりかねない。言ふまでもなく、家族や男女間の自然な性差を破壊しようとするニューレフトとしてのフェミニズムを助長する危険です（それについては序章と終章で若干触れました）。

日本国家の多面性をアピール

さて、安倍外交のもう一つの特徴は、多面性を意図的に使ひ分ける事だ。その典型例が平成二十五（二〇一三）年九月の訪米でした。この訪米で、総理は三つの重要な講演をした。九月二十五日のNY証券取引所でのスピーチ、同日ハドソン研究所でハーマン・カーン賞受賞に際してのスピーチ、そして今引いた九月二十六日の国連総会における一般演説です。

証券取引所での総理のスピーチは、アメリカの人気映画『ウォール街』（一九八七年）／続編（二〇一〇年）の科白（せりふ）をもじつた「皆さんの疑問には三語で充分。Buy my Abenomics.」が話題になりました。しかし実は、この映画の科白を引用しつつも、映画が描く金融成金的世界とは全く違ふ方向へと議論を運びます。映画の主人公ゴードン・ゲッコー（マイケル・ダグラス）は「Greed is good.」と言ふが、安倍首相は勿論そんな事は言はない。

「日本が復活するシナリオも、奇を衒（てら）う必要はまったくありません。リベラのカットボールのように、日本が本来持つポテンシャルを、思う存分発揮しさえすれば、復活できる。そう考えています」

では、そのポテンシャルとは何か。

「コメと寿司ネタ、わさびとしょうゆ、そして日本酒の絶妙なコンビネーションを体験した方もいらっしゃるでしょう。全部があわさって素晴らしいハーモニーが生まれる。どれかが欠けても物足りない。日本食は、繊細な『システム』です」

日本食という伝統的な財の次には、戦後日本の成長を象徴する新幹線の話が来る。

「(日本の新幹線が開通すれば) ニューヨークとワシントンDCは、一時間以内で結ばれます。毎年四四万三〇〇〇ガロンもの『ガソリン』を浪費させるだけでなく、六八万二〇〇〇もの『時間』を浪費して皆さんをイライラさせる、あの『道路渋滞』からも解放されます。飛行機や自動車と比べて、時間もCO_2もカットできる。まさに『夢の技術』です」

その延長に、現在最先端の技術として日本製LEDがある。

「ある試算によれば、六五億個にのぼる世界の白熱電球需要を、すべて日本のLED電球に置き換えれば、最新の原発二〇〇基分以上の省エネとなります」

要するに、金融の中心街で、金融資本主義への世界の憧憬を掻き立てた映画を引用しながら、安倍首相は、日本文化の繊細なシステム性、日本古来の匠の高度な技術、その先に来る環境への貢献を語つたのです。如何にもユニークで洗練された殴り込みではありませんか。

次に訪れた保守系シンクタンク、ハドソン研究所では、安倍氏は、レーガン、キッシンジャー、シュルツらが受賞してきたハーマン・カーン賞初の外国人受賞者として、日本が大国である事のユニークなアピールからスピーチを始める。

「長引いた不況は、日本経済を小さくしました。喪失した経済の規模たるや、アルゼンチン一国を上回りさえするものでした。（略）（日本の）若者たちは、ますます希望を諦めはじめ、日本国民の多数は、将来、自分たちの暮しは今より悪くなると、そう思い始めていたのです。

日本が小さい国だったなら、こんなこと、大した問題にはならなかったかもしれません。しかし日本は小さくない。日本経済は、それでもまだ、ドイツと、英国を、合わせたより大きいのです」

したたかな大国アピールだ。札びらや軍事演習で「俺はマッチョだ」などといふ自慢とは違ふ。

そして、ここでの中心主題は、保守系シンクタンクに相応しく、安全保障でした。積極的平和主義の提唱は当然重要だが、それ以上に、ここでは具体的な説明に努めたやうだ。特に、世界中が、日本が集団的自衛権を行使できないといふ特殊事情を正確に理解してゐないと想定して、その点をアメリカとの関係を例に説明してゐる。最近のケネディ大使のインタビューなどを見ても、この集団的自衛権の説明はアメリカリベラルの中にも浸透したと見ていい。安倍外交の成果でせう。

一方、安倍政権の軍事的な努力を中国と比較して説明してゐる。

「日本はすぐそばの隣国に、軍事支出が少なくとも日本の二倍で、米国に次いで世界第二位、という国があります。この国の軍事支出の伸びを見ますと、もともと極めて透明性がないのですが、毎年一〇%以上の伸びを、一九八九年以来、二十年以上続けてきています。さてそれで、私の政府が防衛予算をいくら増額したかというと、たったの〇・八%に過ぎないのです。従って、もし皆様が私を、右翼の軍国主義者とお呼びになりたいのであれば、どうぞ、そうお呼びいただきたいものであります」

一転して、この後行はれた国連での演説の主題は、アフリカと女性でした。つまり、ウォール街では日本のモノづくりの哲学、ハドソン研究所では安全保障上の立場表明、国連では弱者への日本の眼差し——からして、安倍首相は日本国家の多面性をプレゼンテーションした訳です。

戦後の平和志向の弱みを強みに転じる

しかし何と云つても、安倍外交の提唱する日本像の最も核心となるのは「日本を、世界に対して善をなす・頼れる『力』とすること」の表明だと、私は考へる。

これこそは、日本人が久しく忘れてきた事だ。そして日本のリーダーが久しく思ひも語りもしなかつた事だ。善をなすための強い力としての日本——善をなす事に対するかうした明確なコミットメントは、戦後日本の平和主義と対極にある事だからです。善をなすとは、善を悪から選り分け、自ら選択し、その実現に責任を取る事だ。その為には力を持たねばならない。戦後日本の平和主義は、善を選択する勇気とも、悪の挑戦に溢れる世界の中で平和を創造する力たらんとする事とも無縁でした。念仏のやうに「改憲しようとする悪い人たちから九条を守れ、でないと戦争に巻き込まれるぞ！」と叫び続ける以上の、世界平和への何の関与もなかつた。何が善で何が悪か、悪から平和をどう守るか、日本が世界の中でどう立つか。——さういふ原理的且つ倫理的な議論を封殺する為に九条がダシに使はれたかのやうにさへ見える。

安倍外交は確かに対中包囲網ではある。が、それは単に価値観や利害を共有する国の鎖で中国を取り囲まうといふだけのものではない。寧ろ、日本らしさそのもの、勤勉さ、丁寧な人間関係づくり、人を信じる善意、奉仕と献身、平和や調和への強い志向——さうした日本人の美徳と世界観を積極的に外交上の武器、国力として打ち出す事が目論まれてゐる。かうした日本人のあり方は、下手に受け身に回ると、弱気な善良さに堕する。戦後日本は「平和」といふ言葉から積極的な意味を全て奪ふ呪縛によつて、さうなつてきた。

安倍首相はそれを強みに転じようとする。「世界に対して善をなす・頼れる『力』」へと転換しようとする。「積極的平和主義」も「普遍的価値」も実はその淵源から出てゐる。コロンブスの卵とも言へ、それがそのままコペルニクス的転換にもなつてゐる。

我々の本当の居場所はどこなのか

しかし、まだ続きがあります。

安倍外交は、近代日本以来積み残されてきた大きな宿題への回答の試みなのではないか。

開国以来、我が国は、白人帝国主義の植民地化の脅威に必死に応戦しようとした。富国強兵といふ選択肢しかないと考へ、日本の国力とは比較にならない大国清やロシアとの戦争を辛うじて勝ち抜き、近代国家としての一定の地歩を得た。

しかしその後、どういふ形で「世界の中の日本」を安定した場所に位置づけるかに失敗してしまひます。思想上の試みも政治外交上の試みも含め、有効な答へのないまま、世界情勢を後追ひし、状況に一喜一憂し、状況をつくり出す側に回れないまま、大東亜戦争に至つてしまつた。

そして戦後、冷戦下、我が国はアメリカの属国といふ選択肢を選び、経済大国化に成功した。

政治・外交戦略はアメリカに預けた。その習性が、平成日本のこの立ち行かない知的閉塞感を生んでゐます。冷戦終結から四半世紀経つといふのに、この間、我々は、新しい状況に対して、状況追随さへしてこなかつた。どこまでも冷戦時代の惰性で生きてきた。世界は新たな秩序構築へと激しく動き続け、今やオバマ政権のアメリカは、中国に呼応し、その新大国間関係を受け入れようとしてゐる。

我々日本はどうあるべきなのか。たくさんの論考が重ねられてきたかに見えて、実はその多くが巨大な思考停止の時空下での試みだつたのではなかつたか。

アメリカにしがみつく従属関係の中には、最早日本の居場所はない。日米同盟を再定義する必要はある。いづれにせよ、軸足をずらしたり多様化する必要も間違ひなく切迫してゐる。安倍外交は正にその軸足の移動と多様化の試みでもある。

しかし、私が言ひたいのはその先だ。

それに当面成功したとしても依然として残る大きく深い空虚の事です。

日本といふ国は世界において何者なのか。我々の本当の居場所はどこなのか、といふ——。

例へばイギリス。同じく小さな島国です。しかし居場所はいつもあつた。世界の海を支配した時も、もとの島国に戻つてしまつた後も。近代をリードした大先達、基準点としてのイギリスであり、多くの植民地の旧宗主国であり、ＥＵに対しても独自の距離を保つ、そこが彼らの居場所だ。これはいささか「隣の芝生」で綺麗過ぎる絵だが、私が言ひたいのは現実のイギリスがどの位の国力を保つてゐるかではなく、居場所がある国か、世界において己に相応しい居場所が実感できない国かといふ問題なのです。

対極的なもう一つの国、中国についても触れませう。かの国は、古代以来、一貫して東アジアの盟主であり続けた。王朝や民族の交代はあつても、中原を制覇した者が世界の覇者だつた。その意識をもつた彼らが、アヘン戦争以来、国威を失墜した。その屈辱の象徴が日本だ。よりによつて東夷（とうい）にやられた、この心理的外傷は大きからう。その彼等が、今、巨大な領土、資源、人口を抱へ、再び中華帝国の構築を目指してゐる。彼等にも世界の中での居場所があるのです、中華意識といふ居場所が。

日本には、孤独で美しい歴史はあるが、世界との長年の歴史的関与から生まれるからした居場所がない。しかし小国に甘んじる事は、能力からも気力や気質からも到底できない。万世一系の誇りと周縁文明ゆゑの孤独――その痛痒（つうよう）と焦燥と自己懐疑が、幕末以来、単なる安全保障の問題を越えて、アイデンティティ・クライシスとして、我が国の悩みの核心にあつたのではないか。

そして、安倍外交は――保守の理念に照らせば、世界に迎合しすぎ、とか理念性に欠けるとかの注文はあるにせよ――本質的には、日本の居場所に関する回答の試みなのではないか。

居場所といふのは勿論、空間的な意味ではなく、精神的な位相の話です。つまり安倍外交における「善を実現する強い力でありたい」とか「女性の輝く人類世界にしよう」といふやうな事は、日本人が歴史的に体現してきた思想を世界に展開する事に他なりません。それ自体が日本の居場所なわけです。その点こそが、安倍外交の歴史的な意味なのではないか。

＊

だから我々は今、安倍首相から受けた球を二つの仕方で返さねばならない。

一つは、日本にとつて喫緊の躓きの石、重大な難点の解決だ。第一に、中韓米による対日包囲網の打開です。中韓の対米ロビーが奏功し、オバマ政権は中国との軋轢を避けたい。韓国は、アメリカにとつて、日本とは違ひ血を流せる同盟国だ。これをどう打開するか。次に、ストークス氏が指摘する、世界のメディアの日本及び安倍政権への誤解の山、山をどう速やかに解消するか。

第二は、我々の本当に立つ場所とはどこかを、思想化、言説化する仕事です。それなしに新たな国際社会の荒波に出れば、戦前以上の日本の漂流と分裂、そして最後は属国化が避けられないのではないか。

どちらも大きな課題です。しかし明治維新はこの両方を何とか解決した。前者に当るのが条約改正と憲法制定であり、後者は福沢諭吉や明六社、岡倉天心、新渡戸稲造らの思想的な日本の自己確立です。我々平成の日本人に、それをもつと巧みにこなせないなどといふ情ない事があつていいのか。私は焦慮しつつも、我々の時代にそれが不可能だとは決して思はない。

（＊後註）その後、ロシアのクリミア侵攻、アメリカによる制裁、中ロ接近などの報が相次いでゐる。世界情勢は新たな秩序へと動きつつあるが、安倍外交は、基本的にここに書いた構図の中で進んでをり、それで良いと私は考へる。信頼すべきと見た相手は大胆に信頼する、その代り万が一信頼を売るやうな事があれば、断乎とした報復も辞さない――安倍首相の対ロ外交は、恐らく、本文で書いたかういふ外交原則を踏みながら進められてゐよう。

六月初旬のG７でも安倍首相は、ロシアを対話路線に戻す事と対ロ制裁緩和のベクトルを主張して、アメリカの突出した強硬路線を修正する一方で、アジアにおける中国の脅威の現状を説明し、首相の説明、提案に沿つて共同声明が採択された。世界外交の構図そのものの設計に日本の首相が直接影響するのは、殆ど初めてのケースであらう。無論、アベノミクスの堅調、日本の元気の突然の復活、中韓の新指導部の予想外の脆弱性が明らかになり、安倍日本がどう出るかを軸にアジア情勢が動き始めてゐる現状へのG７首脳の信認の結果であらう。

なほクリミア侵攻後に関しては、本章『「今、ここ」にある危機と戦ふ指針』も参照されたい。

ケネディ大使への手紙――靖国と従弟の君の『特攻』をめぐつて

（『正論』平成二十六〈二〇一四〉年四月号掲載論文を改稿）

就任を心から歓迎したい理由

ケネディさん、日本大使就任おめでたうございます。

今、日本はやうやく、二十年近くのデフレと内向き志向から脱却し、「善をなす強い日本でありたい」と宣言する安倍首相を得て、力強く世界に向けて進水し始めたところです。

安倍政権の一年で日本の空気は本当に一変した。これまでの数年、日本は政権の統治能力が疑はれる状況下、「決められない政治」といふ言葉が流行し、国内には諦めムードが漂つてゐた。それが今や、経済、安全保障、外交、教育、オリンピックなど全ての案件がダイナミックに動き始めました。丁度日本がさうなつたその時に、あなたは日本に来られた。

私はあなたの就任を心から歓迎したい。その理由は幾つもあります。

まづ第一にアメリカきつての名家であるケネディ家の出身、特に、あのケネディ大統領の娘である事だ。

我が国は本来――今や少々怪しいのですが――血統と名誉を重んずる国柄です。

日本は万世一系と言はれる百二十五代に渡る天皇家を国の中心に頂いてゐる。古い国の通例として、我が国も古代では神話と歴史の境界線が曖昧なのですが、神話的な年代設定では、約二千七百年近く前、天照大神(あまてらすおおみかみ)といふ太陽の女神の子孫である神武天皇が初代天皇として世を統(す)べて以来、たつた一つの皇室を戴き続け、その下で緩やかな共同生活を営んできたのが日本です。

かと云つて、天皇信仰に雁字搦(がんじがら)めになり、身分の固着した国ではない。現状にチャレンジする人間は二千年以上にわたる日本の歴史にたくさん存在しました。その一人、織田信長は、十六世紀の戦乱の世を平定した武将ですが、同時に、当時の日本に世界でも先駆的な市場経済的発想を導入した合理主義者です。人材登用も身分や出自に拘らなかつた。ヨーロッパとの交際にも非常にオープンでした。フィギアスケートの世界的な選手だつた織田信成さんは彼の子孫です。

天皇を頂きながら、自由で果断な織田信長のやうな人材も輩出する。――高貴な家系とチャレンジャーのどちらをも大切にする日本人から見ると、若い国アメリカの中で、二十世紀を通じ、アメリカに最も影響を与へてきたケネディ家は、強い尊敬の対象です。しかも、ケネディ大統領は、世界史へのチャレンジャーであり、民主主義を新たに定義づける大きな存在でした。

次に、あなたを歓迎する理由、それはあなたが自由な議論を率直に受け入れる勇気を持つてゐる事です。

今年(平成二十六年)の一月二十三日に『朝日新聞』に掲載されたインタビューを、私は大変興味深く拝読しました。

その中で、特に目を引いた一節がある。安倍総理の靖国神社参拝に対して失望したとした大使館の談話について質問され、あなたはかう答へてをられる。

「強固な関係の特徴は、お互いの立場の違いについて正直に話し合えることです」

そしてまた、イルカの追込み漁に反対するツイートに多くの賛否が寄せられた事について「この問題では賛否両方の返信がありました。とても健全なことです。他の課題でもツイートすることは重要で、そこから会話が始まれば良いと思います」と話されてゐる。

このやうに自由な議論を呼びかけるあなたの姿勢は、いはゆる外交のプロにはかへつて打ち出せないものでせう。アメリカの民主主義の伝統の中枢を生きてきたといふあなたの伸びやかな誇りが、自由な議論への率直な呼びかけになつてゐる。

からしたやり取りを見て、私は、ふと、安倍総理夫人である昭恵さんを思ひ出した。

彼女は総理の政治的立場を理解する一方、原発問題などでは相反する議論でも、敢へて問題提起しようとする事がある。時には政権与党である自民党の政策に対しても議論を投げかける。そして反対意見に対しても女性らしいしなやかさでこれに応じる。この夫人の自由闊達さと、それをあへて許してゐる安倍首相の懐の深さが、安倍政権の日本を風通しのよいものにしてゐます。

あなたを歓迎する、より政治的な理由も挙げたい。言ふまでもなく、あなたとオバマ大統領との深い信頼関係です。そしてその事を象徴するかのやうにあなたはこのインタビューでかう発言してゐる。

「日本は米国にとって、最も価値の高い同盟国、信頼する友人であり、その外交戦略の中心にあります。米国は中国とは建設的に関わりたい。と同時に米日関係は中国の行動によって規定されるものではありません」

日米中韓の四カ国関係が、従来よりも難しい舵取りを要求される今、オバマ氏に近いあなたが、日米の同盟関係と米中関係との相違を、明確な言葉で再確認した。これは四カ国すべてにとつて小さくない事実です。

最後にもう一つ、あなたが文学を愛する事が、私には大変嬉しい。大使就任直後も、あなたは早速スピーチに日本の古典を引用してくれた。

川の流れが絶えない、しかし川はその場にある。

これが十三世紀の日本の最も有名なエセーである『方丈記』から取られたのではないかと、我が国ではだいぶ話題になりました。

原文はかうです。

行く川の流れは絶えずして、しかも元の水にあらず。

日本には千八百年程遡る事のできる、詩歌の伝統があります。歴代天皇は皆詩人であり、彼らの多くは歴史に残る名歌を残してゐる。逆に、農民や兵士さへ、同じ形式の詩、つまり和歌を古代から詠んできた。日本人は身分を越え、男女の別なく、古来、和歌といふ形式に喜怒哀楽を込め、それによつて絆を深めてきた。私自身、政治学者ではなく、文藝評論家です。あなたの文学愛好が嬉しくないはずはありません。

「靖国参拝」を議論する前提として

その上で申し上げたい。

まさにあなたが仰つた自由な議論がこれほど緊急性を要する主題は他にありません。首相の靖国神社参拝といふ問題です。

あなたはこの問題について、昨年末に続き、一月のインタビュー記事でも「失望」の表明を繰り返された。

そして「強固な関係の特徴は、お互いの立場の違いについて正直に話し合えることです」、だから、率直に言ふのだと仰(おつしや)つた。

率直な議論が大切なのも、強固な友情があればそれが可能なのもその通りです。しかし日本において靖国問題を始めとする先の大戦に関する歴史認識は、率直に話してはいけないテーマになつてしまつてゐる。その実情をまづ知つてほしい。

言論空間そのものが歪んでゐるのです。

例へば、日本において安倍首相の靖国参拝がどう報じられたか、ご存知でせうか?

輿論調査では参拝の是非は均衡してゐた。中韓を刺激するから行くべきでないといふ意見も多い一方、両国の干渉への拒絶も多数意見でした。靖国参拝が問題化したのは近年の事で、戦後四十年それは何ら問題ではなかつた。従つて、日本には賛否両論拮抗しつつ、様々な立場の議論が存在する。

ところが、日本の報道は、安倍氏の参拝への国内外の反対意見のみを並べ立てました。昨年(平成二十五〈二〇一三〉年)十二月二十九日、TBS系「サンデーモーニング」といふ、日本を代表する政治ショーは、作家や国際政治学者や新聞記者を含む七名のコメンテーター全員が、安倍氏の靖国参拝を批判した。穏健派とされるニュースキャスターの代表的存在、池上彰氏の番組(一月十三日放映、テレビ朝日系「池上彰の学べるニュース」)でさへ、この件について、安倍外交の国際孤立を強調し、靖国参拝の意義や好意的反応は一点も紹介しない。

そもそもこれらの報道は、安倍首相が参拝に際して発表した「恒久平和への誓い」といふ重要な公式見解に全く触れてゐません。そして、靖国問題で率直な議論をしようとする人間には右翼といふレッテルを貼つて、「率直な議論」を、国民や世界の輿論の眼から覆ひ隠さうとする。

率直な議論から日本は逃げるな。——『ニューズウィーク日本語版』の「靖国神社特集号」（二〇一四年一月二十八日号）は、この靖国参拝について、中韓の抗議が如何に欺瞞に満ちたものかを公正に指摘すると共に、日本側も、「国民的議論や説明を抜きにして、事を進めようとしている」と批判してゐる。全くその通りです。ただ、今書いたやうに、メディアが、右翼といふレッテル貼りに終始し、「率直な議論」を隠蔽してゐる以上、政治家が「率直な議論」を発しようものなら、中身は伝へられず、右翼呼ばはりで社会から抹殺されかねません。かうした圧倒的に歪んだ言論空間の中で、例外的に己の信念を主張する事に成功してきたのが安倍晋三氏なのです。それが今度の靖国参拝となつた。

どれだけ多くの国民が安倍氏のさうした在り方に感動を覚え支持してゐる事か。

安倍政権発足から一年経つて、内閣支持率六〇％といふ数字は、日本の政治史で初めての事です。ケネディさんに、まづはさうした日本の実情を知つておいて頂きたいと思ひます。

次に、靖国問題について、率直に議論したい第二の点、それは、この参拝は霊性に関はる事であつて、本来外交問題にすべきではないといふ事です。いささか突飛な喩（たと）へを許して頂きたい。

マリアの処女懐胎を外交問題にしていいと思ひますか？

もし、ある国が、アメリカに対して、「マリアの処女懐胎のやうな非合理な事を信じてゐる非合理な国とは、外交も軍事も共にできない。取り下げてもらひたい」と外交問題化を繰り返したらどうなるか。

信仰生活は、長年の習慣、伝統の上に築かれた世界です。非合理と合理は分ち難く結びつき、その文明の内部にゐる人間には自然でも、異文明の人間には理解しがたい場合がたくさんある。だから、不用意に互ひに触れてはならない。異文明の人間には想像もつかない、従つて防ぎやうもない誤解が必ず伏在するからです。

宗教的な問題を、政治に持ち込んではならない。――これが、欧米が多年の宗教戦争の歴史に反省し、十九世紀以降到達した新しい世界観ではないのか？

靖国参拝の本質は、死者慰霊といふ、宗教問題なのです。そのやうな問題を外交化してはならない。我々は、中韓に対してもアメリカに対してもそのやうなルール破りを一度もしてゐません。

日本の慰霊の精神に脈々と流れる「許しと共存」

かうした一般論を踏まへた上で、首相の靖国神社参拝といふ行為の意味について、少し丁寧にお話しします。

そもそも靖国神社は我が国の近代史と共に始まつた、戦死者を祀る慰霊施設です。神道の信仰に基づいてゐる。神道では人は死ぬと神になる。ただし、神＝GODではありません。A級戦犯をGODとして祀つてゐるといふ国際社会の一部にある誤解は余りにも実情と懸け離れてゐる。カトリックにおいてもミサによつてあらゆる人の原罪が、洗ひ清められ、神に許されるといふ儀式があるでせう。その条件や構造については、当然、大きな隔たりがあるが、しかし死者が穢れから許される、さういふ意味ではそれと同じだと考へて頂いて間違ひはない。

その意味で、現実政治としての戦争と、それが終はつた後の慰霊が別の次元の営みなのは、日本と欧米とに現在共通する価値観ではないでせうか。

また、我々には敵の為に祈りを捧げ、敵の為に神社を建て、祀るといふ伝統もある。古代日本を統一した大和王朝は、その前の王朝を滅ぼさず、都から遠くに封じ込め、彼らの信仰は、そのまま許しました。それが出雲大社です。この事績は、我が国最古の歴史書である『古事記』『日本書紀』に出てゐる。そこには、征服や統合や殺戮はなかつた。我々は古くからそれを「国譲り」と呼んできた。そして日本人は、大和王朝の祖神を祀る伊勢神宮と並び、出雲大社をも大切にしてきた。

我々は、基本的に許しの民族、共存の民族なのです。

靖国神社の場合も、その中に鎮座されてゐる鎮霊社は、戦争や事変で亡くなられ、靖国神社に合祀されない国内、及び諸外国の人々を慰霊してゐます。

今回、安倍総理は、靖国神社だけではなく、そこにも参つた。

確かに、靖国神社は、近代戦争の慰霊の場です。当然、古代の信仰と厳密に一致するわけではない。しかし、基本的に、日本の慰霊の精神に脈々と流れるのは、かういふ「許しと共存」であり、靖国神社の厳(おごそ)かな境内に立たれれば、あなたも必ずそれを感じられる筈だ。

「戦争に負ける事」と「ホロコースト」は次元が違ふ

では、さうした靖国神社が、なぜ問題化してしまつたのか。現在、中国と韓国が軍国主義復活などといふ、実情と全くかけ離れたプロパガンダで、総理の靖国参拝を非難しますが、その最大の根拠はA級戦犯を祀つてゐる事だといふ。

これにも誤解があります。

確かに、祀られてゐる。しかし、それは、二四六万六〇〇〇人以上の戦歿者の内の一人として祀られてゐるといふ事だ。戦争遂行に直接責任ある者を取り立てて顕彰してゐるのではない。全ての戦死者への慰霊の一部である。これが第一。

第二に、「A級戦犯」といふ言葉が世界中で一人歩きし始めてゐる。これが私には異常に思はれる。

日本はアメリカ(当時の連合国)と戦争をした。その個々の事績については様々な過(あやま)ちがあつたでせう。特に、真珠湾攻撃において宣戦布告が遅れたのは、日本人の美学に最も反する痛恨事でした。しかし、戦争そのものが間違つてゐたのではない。戦争に理非はありません。近代の戦争は利害の衝突です。

勿論、イデオロギーの戦ひの要素もあるが、それを言ふならば、日米戦争で日本側が掲げた理念は大東亜共栄圏の建設です。この理念が間違つたものとは言へません。軍国主義といふ批判も現実を見れば見当外れだ。戦時に国家総動員体制になつた以外に、国家が軍部に壟断（ろうだん）され、外国による強制的な解放を必要とする政情は、当時の日本の歴史をきちんと調べれば出てこない。

中国は安倍首相の靖国参拝をヒトラーの墓参になぞらへますが、全くナンセンスといふ他ありません。確かに、日本は、当時ナチスドイツと同盟中であり、ナチスドイツはユダヤ人ホロコーストといふ重大な人道への罪を犯してゐる。その点でナチスは断罪され、今日でもそれが続いてゐる。これは当然です。しかし、日本はナチスとは違ひ、通常の戦争を戦ひ負けただけだ。戦争中も、ナチスのユダヤ人抹殺に同調した事は一切ない。逆に、人道的な見地からユダヤ人を保護してゐる。

戦争に負ける事と民族抹殺のホロコーストとは全く次元が違ふ話だ。同盟してゐたといふだけで同罪のやうにみなされる事は遺憾極まりない。

ただ、当時は世界情勢の上からも日本を徹底的に叩きのめしておくためにも、ニュールンベルク裁判に倣（なら）つて東京裁判が行はれました。今更無効を言ふつもりはありません。しかし、これはナチスのホロコーストと日本の敗戦を同罪と見る、全くナンセンスな認識に基づく裁判だといふ事は云つておかねばならない。しかも、その事は、数年後の国際社会も認めてゐる。

昭和二十七（一九五二）年にサンフランシスコ平和条約が発効し、独立を回復した日本は、生存してゐる全戦犯を国会の全会一致で恩赦し、A級戦犯を含む処刑死した人たち全員を犯罪者ではなく、法務死として死後名誉を回復させた。そしてそれを国際社会に通告し、関係国全てがこれを了承したのです。今に至るまでナチスの残党が徹底的に告発されてゐるのとは全く違ふ。日本は単に戦争に負けただけだといふ認識が当時の国際社会になければ、戦犯の名誉回復が世界中で認められた筈はないでせう。

それを七十年も経つのに、世界中の歴史への曖昧な知識をいい事に、改めて戦犯として永遠に歴史に刻印しようとするのは、文明から野蛮への逆行でしかない。違ひますか。

本来、戦争犯罪は勝者敗者を問はず存在するし、そもそも戦争そのものが残酷で絶対的な悪です。そして、そこまで話を広げるなら、日本断罪には全く意味がなくなるでせう。ここで、あへて中国共産党五十年の人権蹂躙（じゅうりん）の殺人者数を列記して、逆の言論戦を仕掛けるつもりはない。

その代り、ケネディ大統領の若き日の名著『英国はなぜ眠ったか』の中の次の一節を引用しておきませう。

全体主義制度――たとへばソ連や中国共産党のやうな国家――と競争するにあたつて、民主主義の弱点は大きい。民主主義は合理的な存在としての人間に対する敬意に基づいてゐるからだ。

（『英国はなぜ眠ったか』一五五頁）

中韓のプロパガンダを許した「お詫びの文化」

靖国批判に限らず、中国、韓国の反日プロパガンダには、はつきりしたパターンがある。その事も、日本人としてはつきりお伝へしておきたいと思ふ。

歴史認識にまつはる問題での彼らのプロパガンダは、近年どんどん強まつてゐる。殆どの場合、極論だつたり嘘だつたり、もう条約などで決着済みの問題です。ところが、彼らは水面下の交渉で、今回日本が折れればもう二度と問題にしないから折れてくれと云つてくる。日本が折れる。すると、彼らは「それ見たことか、本当に悪かつたから謝罪したのだらう」と世界中に宣伝し、嘘を事実として定着させる努力に全力を傾ける。そして、また、新たな次の問題をつくる。そこでも同じやり口で日本に圧力を掛ける。——この二十年、それが日本対中韓交渉の基本的なパターンなのです。

ここに一つ重大な日本の弱点がある。それは、「お詫びの文化」です。曖昧化の文化、先に謝つてしまへといふ文化、本音と建前の使ひ分けといふ文化と言ひ直してもいい。

これらは、古来、日本では、円滑な人間関係の為の智慧でした。

例へば、我々には、人の家を訪問した時、玄関口で「ごめんください」といふ丁寧な言ひ回しがある。直訳すると謝罪の言葉です。訪問によつて、他人の暮しのリズムを乱す事への配慮の淡い表現で、謝罪は意識には上らない。我々は、さうした慎みを言葉にする事を礼儀の重要な要素と感じながら生きてきた。だから、日本人の会話は、日常から、信じられない程、無意識の謝罪に満ち溢れてゐる。

人に会ふなり、

「いやあ、すまん、すまん」

何かを人にしてもらふと、有難うではなく、

「どうもすみません」「申し訳ない」

数日を隔てて会つた時の挨拶が、

「先日は失礼しました」「いや、こちらこそかへつて申し訳ありませんでした」

互ひに何も悪い事はしてゐないし、謝罪の気持もない。

あなたがたが、道をすれ違ひ様“sorry”といふ、あの何倍も我々の文化は謝罪の応酬に溢れてゐる。

いはば、外交や政治でも、日本人は、この「お詫びの文化」の慣習に引きずられてしまふのです。その延長上で、たとひ相手の主張が正しくなくとも、相手がそれで気持を収めてくれれば認めてしまふ。卑劣な魂胆からではありません。人にはそれぞれ事情がある、さうした事情を察しあひ、よほどの場合はとことんやるが、さうでない限り黒白は付けない。異論や違和感を併存さ

せる。言葉で戦ひ抜くなどといふ事はしない、それが我々の文化なのです。

しかし、中韓との関係は、結局、それに付け込まれる二十年でした。そして結果を見れば、それは道徳的に負ふ必要のない嘘の責めまで負ふ事になるといふ、堪へがたい屈辱を生じ、世界に間違つた日本像を蔓延させた上、中韓に、嘘のプロパガンダを許す事で彼らの人間性をも侮辱する事になつた。

今、日本にとつて一番肝心なのは、中韓に、君たちの誇張と欺瞞に満ちたプロパガンダはもう無効だとはつきり悟らせる事に他ならない。その為に、我々がまづ、外交上では「お詫びの文化」から脱却せねばならない。私はさう考へます。

公正さと誤解と

ただ、この靖国問題の背後には、もう一つ奥がある。アメリカを含む世界の日本理解の根底に、根強い誤解があると感じる。最後にそれを申し上げておきたい。

実は今、私の手元にマクスウェル・テーラー・ケネディ氏の『Danger's Hour』といふ本がある。ケネディといふ名前からひよつとすると関係ある方かと思つたら、あなたの従弟に当る方だ。

日米戦争時のアメリカ空母バンカーヒルを死守したアメリカ兵と、逆にそれに特攻攻撃した日本兵、この両者に焦点を合はせて、日米攻防戦を詳細に書いた物語です。

驚くほど、両軍の兵に公正で、高潔な本だ。

通例、歴史書で扱われるのは、ミッチャーやバークら、戦争の行方を決めた軍の指導者たちだ。しかし、私たちが第二次世界大戦から学ぶべき真に重要な教訓は、戦いに巻き込まれた人々、互いの為に力を合わせて戦った「普通の」人々の物語の中にあるのではないだろうか。（略）これは、異常な状況のただ中へと放り込まれながらも、驚くほどの勇敢さを見せた普通の男たちの物語である。（中村有以訳『特攻　空母バンカーヒルと二人のカミカゼ』ハート出版一三頁）

この着眼は美しい。マクスウェル氏は、日本の特攻に対しても偏見を持つてゐない。「西洋文化において自殺は嫌われている（一六頁）」が、これは比較的最近の事で、ギリシャ、ローマでは、ソクラテスやセネカの自殺は気高いものだとされてゐる、名誉ある自決といふ思想――これは日本人の考へ方とさほど遠くない、彼はさう言ひます。

何をもって「正しい意志」「正しい死」とするのかを厳密に定義するのは困難だ。ウィンストン・チャーチルは、ベルリン爆撃のニュース映像を見たとき、こう口にした。「我々は獣に成り下がってしまったのか」

しかし、チャーチル自身も、戦争という行為の中で女性や子供を生きたまま焼き殺すことはやめなかった。道徳上の一線は、曖昧だ。（前掲書一七頁）

この問ひは深刻です。なぜなら、私にも貴女にも、そして世界中の誰にも、完全に解く事はできない問ひだからです。

道徳上の境界が何故曖昧かと言へば、人生がさういふものであり、その人生が最も強烈な不協和音でぶつかりあふのが戦争だからです。ある立場から別の立場を絶対悪だと決めつけるのも、戦争そのものを絶対悪だと糾弾するのも易しい。しかし、誰しも己を静かに振り返れば、日々、道徳的な境界線上での綱渡りを演じてゐない者など一人もゐない。

まして、死を賭して何かを守らうとした精神の劇を裁くのは容易な事ではない。マクスウェル氏は戦闘を演じた敵味方双方の現場をつぶさに調べる事を通じてそこに気づいた。

日本軍の上層部が敗北を充分に認識した上で大勢の若者を神風特攻隊に任命したのは、絶望的な大義のために命を捧げた若者たちの倫理規範が、以後何千、何万年と、人々の自己犠牲精神をかき立て続けるであろうと考えてのことだった。彼らの最後の望みは、未来の日本人が特攻隊の精神を受け継いで、強い心を持ち、苦難に耐えてくれることだった。

現代を生きる私たちは、神風特攻隊という存在をただ理解できないと拒否するのではなく、人の心を強く引きつけ、尊ばれるような側面もあったということを理解しようと努めるべきではないだろうか。

（前掲書二四頁）

ところが、これほど公正で、その上精密な調査に基づくにも拘らず、この本には日本への根本的な誤解が幾つかある。と云つて、誤解したマクスウェル氏を責めるつもりはない。我々日本人が、外に向かつて、自分たちの実像を、余りにも語らないできた事が原因なのだ。要するに今述べた「お詫び文化」のもう一つの側面、「自分を説明しない文化」も又世界で我々への誤解が積み重なる原因だつた事が改めて痛感される。

例へば、マクスウェル氏はこんな事を書いてゐる。

日本の真珠湾攻撃を合理的に説明するのは困難だ。神風特攻ともども、狂信国家が考えた非理性的な行動だと片付けてしまう方が、ずっとたやすい。
(前掲書二七頁)

大きな誤解ですが、恐らく、これは次のやうな天皇観に原因があるに違ひない。

戦争前の憲法には、はっきりと、天皇は神であるという記述があった。(略)神と天皇は同一であり、国民にとって天皇のために戦うということは神のために戦うということでもあった。(略)日本人は皆、天皇に関する言葉が発せられるときは必ず「気をつけ」の姿勢をとった。「気をつけ」の号令は、これから天皇陛下の事を話すという合図だったのである。

（前掲書四四頁）

戦争前の憲法、即ち大日本帝国憲法には天皇が神だといふ記述はありません。ヨーロッパの立憲君主国の憲法の君主無答責の単純な日本語訳への誤解です。「気をつけ」に関しても、世界中の軍隊が上官の指示で「気をつけ」の姿勢を取る、さういふ場合と変りません。日常で普通にある光景ではない。確かに戦時中、天皇崇拝と言はれても仕方ない異様な状況がある程度現出したが、それは二千年の歴史での数年に過ぎず、基本的に、日本の天皇は宗教的狂信の中核ではありません。歴史上、天皇は、国や民の幸と平和を祈る事自体において、日本の中心に優しく座つてこられた。祈りの人だ。これもあへて注釈を付ければ呪術の人ではない、西洋人にも理解できる意味で、平和を祈り続ける存在であつた。

天皇は、軍国主義や狂信とは凡（およ）そ対極的な、日本といふ国の母性を象徴する存在だつた。

戦争に踏み切つた理由について

更に、マクスウェル氏は戦前の日本社会についても大きな誤解をしてゐる。

日本の文化は相変わらず封建的で、自分の生き方を自分で決める事が出来る者などほとんどいなかった。小川（筆者注：『特攻』に登場する特攻隊員）や彼と同年代の若者たちは個人としてのアイデンティティを確立する悩みとは無縁のまま自らの前に用意された人生を歩んでいた。

（前掲書四〇頁）

日本は、慶長五（一六〇〇）年から始まる江戸時代にヨーロッパの近代に近い独自の発展を遂げ、身分制の中でも、個人の人生へのチャレンジ、自己表現の可能性の高い社会を実現してゐました。カナダ人女性のある日本学者は、「もし自分が十九世紀に生まれたならば、富裕層ならロンドンに、中〜下層階級だつたなら江戸に住みたいと思ふだらう」と書いてゐる。それだけ平等な福祉と、生活や自己実現の喜びが下層階級まで行き渡つてゐた。実際、さうでなければ俳句や歌舞伎のやうな庶民の藝術があれほど発達する筈がない。

その江戸時代末期、アメリカから軍艦が来航し、その他の欧米列強が次々に圧力を加へる中、我が国は開国を決断します。

「アイデンティティを確立する悩みとは無縁」どころか、この時から日本人の民族的なアイデンティティは苦悩し続ける事になる。

日本近代には、新渡戸稲造、岡倉天心、福澤諭吉、夏目漱石、森鷗外のやうに、同時代の欧米と同水準と言つていい著作が大量に書かれ、読まれたが、それらの多くは、民族的なアイデンティティ・クライシスを乗り越える試みでした。

多くの日本の若者は、当時、世界有数と目される、高度なリテラシーを持つてゐた。貧農の息子や工場労働者の娘が、難しい小説や哲学書を読む事が戦前の日本では当り前に行はれてゐた。一九三九年、桑原武夫といふフランス文学研究者が『幸福論』で有名な哲学者のアランに会ひに行きます。その時、彼は、日本ではスタンダールの『赤と黒』が二万部売れたと話したら、アランは「信じられない。我が国ですらスタンダールの読者は数千人だ」と言つて驚いたといふ。しかしこの数字に誇張はなかつたのです。

当時の日本人の多くは、政府が選んだ価値観しか学んだことがなかった。（略）政府は、日本の生活のあらゆる側面を支配し、さらに全国民に対して究極的な忠義と恭順を指針にするよう求めた。（略）日本の支配層は、アメリカに関する情報をきびしく制限していた。

（前掲書一二〇頁）

ごく一時的な抑圧は別にすれば、一八七〇年代から昭和二十（一九四〇）年にかけての日本の実態は、これとは全く違ひます。例へば、日本ではマルクス本人の著書さへ、一九二〇年代までは幅広く読まれ、論じられてゐた。

また、日本は、近代史を通じて、不思議なほど、アメリカに対して好意を抱いてきた。近代初期の日本人たちは日本古来の英雄と並び、ワシントンをとりわけ尊敬してゐました。デモクラシーの父として、又、国民国家を建設した英雄としてです。

もつとくだけたところでは、日本人の野球熱を上げてもいいかもしれない。アメリカ初のプロチームができた明治二（一八六九）年の早くも二年後、開国直後の日本に野球は伝はり、瞬く間に若者に人気のスポーツとなつた。用語もすぐに日本語に訳された。Baseball は野球、Hitter は打者、Pitcher は投手といふやうな具合です。その多くを明治時代を代表する俳句の天才正岡子規がつくりました。正岡子規の俳句、例へば「柿くへば鐘が鳴るなり法隆寺」のやうな作品は、あなたもご存知かも知れません。

かうした戦前の日本が、天皇への狂信に凝り固まり、アイデンティティの葛藤と無縁の原始的な心情を持つ未開国家だつたと考へるのは、余りにも不自然でせう。

要するに、天皇崇拝の未開で狂信的な民族が、日米戦争で敗れた結果、文明化をしたといふイメージは事実と程遠い。

逆に、今書いたやうな、民度の高い、文化的な好奇心の抜群な民族が、国力差が二〇倍以上もあるアメリカと戦争をしたのはなぜか、さう問ひを立てて、日米史を見直していただきたい。

そもそも、日本が当時進出してゐたのは、主に、朝鮮半島から満洲にかけてです。そして、その最大の理由は、中国大陸の政権が非常に脆弱で、欧米列強の進出が、我が国にとつて脅威だつた事、もう一つはロシアの南下が恐ろしかつた事の二点です。

我が国は資源の無い、国土の小さな島国だ。しかもＡＳＥＡＮやヨーロッパのやうな地域共同体を形成してゐない。大変孤独な民族です。過酷な帝国主義競争の中、我々が欲したのは安定した資源と欧米列強から侵略されないといふ二つの条件であり、それを求めて大陸に進出した。

それなのに、日本の北方への進出から、何故よりによつて日米戦争が起きたのか。中国大陸やシベリアとは正反対の方角のアメリカと、なぜ日本は戦争しなければならなかつたのか。

一言では言ひ表せませんが、当時のアメリカの中国利権への野心、ヨーロッパでのドイツ勝利を防ぐために枢軸国である日本を叩く必要、また、日本が大国化してアメリカの脅威になる前に叩くといふ予防措置——かうしたアメリカ側の戦略がそこに介在してゐ、一方で、我が国の外交政策の拙劣、また今に続く「国際社会で自分を説明する努力の極端な欠如」によつて、アメリカの不信と誤解を招き、戦争を招来した。これはあまりにも駈足の説明ですが、大筋では間違つた理解ではないと思ふ。そしてアメリカの知識人に案外な程見えてゐない日米関係史の基本的な構図です。

*

今、日米両国は、アジアのみならず世界の永続的な平和のために、強固な同盟を結び直さねばなりません。そのためには、日本が、これ以上、「国際社会で自分を説明する努力の極端な欠如」の中に閉ぢこもり、「お詫び文化」を繰り返してはならないと、私は考へます。

あなたが仰つたやうに日米間は「強固な関係」だからこそ、「お互いの立場の違いについて正直に話し合」ふ事が、本当に必要だ。日本は、自分を説明する努力に、もつと本気にならねばならない。中身のある論争をもつと重ね、誤解に誤解をぶつけながら、それを昇華させて新たな友情に達する位の覚悟がなければ、日米両国民は前に進めないのではないかと考へます。

この手紙はささやかで拙いものではありますが、その試みです。

私の言葉に無条件に賛意が欲しいのでは勿論ありません。

言葉が届く事。それがどのやうな波紋を生むかを、言葉の外側の条件ではなく、言葉そのものの力に委ねる事。——文学者である私は、自分の筆の拙さを嘆きながらも、さういふ意味で、私の言葉があなたに届く事を強く希望してゐます。

「今、ここ」にある危機と戦ふ指針

（書き下ろし）

具体的に何をどう取り戻すか

本書を通じて、私は、幾つかの主題について、しつこく、考へ方の原則を確かめる議論を重ねてきました。日本の政治論には原則も吟味もないまま走り出してしまふ議論が余りにも多いと思ふからです。しかし幾ら原則を確認しても、そこで浮かび上がつた課題を具体的に解決しなければ勿論意味はない。何かを論じる事と、課題を解決する事は別の話です。政治に関はる議論をする目的は、立派な議論を立てる事それ自体ではなく、その先で解決を目指す事なのは論を俟ちません。

ここでも、解決そのものを提示する事まではできないが、主に考へ方の原則を示してきた本書の中で、次のステップの為の助走として、解決の試みは出しておきたい――この項はその試論です。

では、解決する思考法とは何か。肝心な事は、目標設定であり、参謀精神、作戦精神です。何をどこまで達成すればどういふ結果が期待できるのか、その為の方法はどうすべきかをまづきちんとしてから動かねば、実りは少ない。

具体的な取組み例の一つ目として、歴史教科書問題を挙げませう。一般論としてどんな教科書が望ましいかは共通了解があると言つていい。多年の保守系知識人の尽力によつて、モデルとなる教科書も二社から出てゐる。採択制度の問題をどうするか、これも教育委員会制度の見直しと共に是正へと話が進んでゐる。画期的な事です。

しかし、更に根源的な問題は教科書検定でせう。今後、永続的に歴史教科書を反日史観、東京裁判史観、左翼史観の宣伝道具にさせないためには、まつたうな検定基準と検定官人事を定着させておかねばならない。ある方から伺つたが、文科省の教科書検定官と話をすると、最後には、学会雑誌での発表論文が基準だとか、歴史事典が基準だといふ話になると言ひます。御承知のやうに、歴史事典は未だにマルクス史観と反日史観の強固な影響下にある。つまり、検定基準を変へるか、事典を変へるか、人事を変へない限り、外野でどんな提言をしても、どんな保守的な啓蒙活動や抗議活動をしても、事態を安定的に解決、改善はできないといふ事だ。安倍政権の間に我々はどこまでできるのか。

もう一例。世界中で中国・韓国に二十年越しの反日宣伝をされてきたのはご承知の通りです。それに対して安倍政権はロビー活動費を五倍に増額したと伝へられてゐます。英断だ。しかし有効に使へる人材はゐるのか。例へば『フォーリン・アフェアーズ』をこの一年半を通して見ると、中国・韓国の大学の白人教官の論文、中国人、韓国人学者の論文は毎号のやうに出て来る。ところが日本の大学の教師や日本人の投稿は全くない。一年半で登場した日本人は安倍総理のインタビューのみだ。かうした我が国保守系知識人層の、全面的な鎖国状態を放置して、国内で中韓批判をしても、オバマ政権の冷たさを憤つても仕方ない。我々の方が、世界の知識層やクオリティペーパーを制覇するといふ発想に転換せねばならない。

発信できる中身はあります。『正論』や『Ｖｏｉｃｅ』の外交論文だけを取つてさへ、『フォーリン・アフェアーズ』よりずつと質の高いものは幾らでもある。世界の知的水準など恐れるに足らない。問題は、語学的、人脈的な体制のなさです。何も膨大な金がかかる訳ではない。事々しく政府に外局をつくり、膨大な予算で、外国のロビー活動会社と契約をしても、人材を得なければ金がじやぶじやぶ流れ出て終はりです。必要なのは、数人の能力の高い使命感に富んだ実務者と翻訳者だ。たつたそれだけの事があれば、何兆円にも相当する成果を上げ得る。逆にさうした数名の人材さへ集められずにきた事で我が国の国益はどれだけ損なはれてきた事でせう。

勿論、これら二例はごく個別的な例に過ぎない。しかし、たつた二つの個別的な例でさへ、我々は一般論以上の具体的な解決策を持つてゐないといふ意味で、これらは深刻な事例でもあります。解決策とは、「かうすればいいんだよ、話は簡単さ」といふ、夜になると花が咲く居酒屋政談の事ではない。極論すれば、明日、国会に法案を提出できるか、明日、首相や担当閣僚が指示を出せるか、さういふ現実化の道筋まで考へ抜き、準備が終はつてゐない限り、政治は、一般論を採用などできない。一般論を出すのが論客や知識人の仕事で、後は政治家と霞が関がやつてくれ——さう言つて開き直れれば、私も気が楽だ。気は楽だが、この国は変るまい。能力の問題ではなく、人間の頭数の問題だけで言つても、政治家とその秘書、政党の政務調査室、関係省庁に、今書いた二例を一般論から政策実現まで具体化する余力は全くない。それを難じても仕方ないのです。事柄を変へたい人間が自分達で空白を埋める、その作業を通じて、回路が開かれ、国も動き出すのだ。

その際もツボを心得た動きをしなければなるまい。

体にツボといふものがあるやうに、政治活動にもツボがある。目標を設定してそれに見合つた手段を取らねば、結果は出ない。商売での成功・不成功と同じです。どんな高品質の商材だらうと、成功の定石を踏まねば売れない。逆に、品質が大した事がなくとも売り方が正しければバンバン儲かる。

例へば、署名で事態を動かす。これは大変貴重な積み重ねです。その多年の地道で真面目な保守系先人の方々の積み重ねがあつて、安倍政権も誕生した。が、政権が誕生した以上、今できる事が何かについては、従来の活動から発想を広げねばならない。

世の中には、ある人事を一ついぢると劇的に事態が変るといふやうな事がある。例へば、この稿を読んでくれてゐる読者を五万人と仮定すれば、五万人全員がそれぞれツボを見つけ、そのツボを目掛けて動いたらどうか。

そのツボは家族にゐるかもしれない。高校や大学の同級生かもしれない。飲み仲間やカラオケ仲間かもしれない。さういふ中に、地元選出の国会議員の舎弟である市会議員の奥さんがゐるかもしれない。『朝日』や『毎日』、或いは地方紙で、自社の論調の異常さに悶々としてゐる若手記者がゐるかもしれない。教科書検定官の身内がゐるかもしれない。労組の大物の裏事情を知つてゐる奴がゐるかもしれない。

日本を取り戻す上で、戦力になる人間、味方にすれば百人力の人間は、ゐないやうでゐて、案外、至近距離にゐるものだ。大事は小事から。人と人の触れ合ひ以上に効き目のある政治活動は古今東西ない。インテリジェンスやヒューミント、インテリジェンスといふものが歴史上決定的な役割を果たしてきたのは、大事とは人事だといふ事が真理だからに他なりません。

堤防が一カ所破れた時は、全方位で崩しに掛かられる

では、国全体の問題を考へるに当つて、かうした一般論ではなく問題を具体的に解決する思考法に立つとどうなるか。

私の考へでは、日本の国家喫緊の問題と骨太の解決の指針は以下の三点に要約されるのではないかと思ひます。

①中国の事実上の属国に絶対にならない事

②さらならずにアメリカからの相対的な自立を果す、つまり自主防衛国家に転換する事
③同時に、国民自らの手に憲法を取り戻す事を通じて、自己決定できる本来の国家に回帰する事

これらの命題を、問題解決的な見地で考へるとどうなるか。

まづ、世界情勢の激変を考へねばならない。

冷戦崩壊後、世界は新秩序に向けて動き出しました。アメリカは幾つかの選択肢の中から、世界の警察官としてのスーパーパワー国家を選んだ。中国共産党は、共産圏大崩壊の中、何とか亡びずに持ちこたへ、ただちに東アジアの覇権国家化と経済軍事大国路線を選んだ。他の共産党独裁国家の失敗を徹底的に研究し、その逆手逆手を打っていった先が今日です。私は専門家ではないから、中国の内情を知らず、明日も知らない。他人の受け売りで、知ったかぶりな論評はしたくない。しかし今日までを見る限り、凄まじい統治能力、生存能力だ。一五億の人口を抱へ、イデオロギーが大崩壊する中で、逆にたった四半世紀で世界第二の覇権国家となったのですから。

その間、逆に、徹底的に無為に過ごしたのが日本です。

冷戦崩壊後、アメリカにとって日本の必要性が低下し、日本は自前で戦略を描き直さねばならなかった筈なのに、冷戦時代の思考のまま、いや、大国となった驕(おご)りで、冷戦時代よりもずっと自己の運命に無責任になって、時間を浪費した。目先の改革が叫ばれ続け、保守派はそれを叩き

続け、大局に立つた新戦略の知的模索は極めて乏しかつた。官僚支配と政治の漂流が痛罵され続けたが、知識社会が新たなヴィジョンを出さずに、官僚や政治家に仕事ができる筈がないではありませんか。

そして、今——。アメリカは世界の警察官といふ一極支配体制から降りざるを得なくなつてゐる。オバマ政権の体質の問題ではない。一国が世界の警察を続けるなどそもそも不可能であり、アメリカが世界に描く夢も野心も、年と共に色褪せる。この大きな流れはもう変らないでせう。一方、中国は冷戦崩壊時点で日本の三分の一しかなかつた軍事費を、今や公式発表でさへ日本の二倍以上に伸ばし、世界第二位の軍事大国に躍り出た。アメリカの最大の債権国でもある。世界中で日本バッシングのロビー活動も順調に進んでゐる。中国は張子の虎だといふ説があるが、本当にさうだと実際に証明されるまで、最大の脅威と見なすべきだ。

中韓米の、日本包囲が露骨になつた事。これも、オバマ政権の一過性の問題ではありません。アメリカから見て、中国が既に脅威なら、その脅威を懐柔した方がいい。中国がソ連のやうにアメリカと絶対的に敵対するならともかく、さうでないならば、アメリカは妥協を重ねるつもりに決まつてゐる。事実、中国人指導者や知識人層のアメリカへの浸透は既に根深く、日本のそれはゼロに近い。アメリカが裏切り者なのでも中国が悪質な籠絡者なのでもなく、日本人が馬鹿だつただけだ。

米中の水面下での癒着が進めば、日本の居場所は米中関係の邪魔にならないところといふのが落とし所になる。無論、中国が脅威の度を増せばアメリカは日本の楯を厚くしようとするでせう。が、脅威の度が下がれば、日本にはできる限り大人しくしてゐてもらひたい。日本は情報も核兵器もない、米中両国から見れば、できるだけ大人しくこの状態に張り付けておきながら、金と技術を貢がせておくのが一番いい。

これに、ロシアによるクリミア侵攻が加はつた。

アメリカは強く批判し、制裁をかけてゐる。しかし、そもそもクリミアはロシアにとつて歴史的、地政学的な要所です。それを単細胞一律に国家の主権侵害だと非難して、しかも効果の出ない制裁しかとれなければ、話はどこに落ち着くか。

下手をすると我が国にも非常な危機となる。

私は、ロシアのクリミア・ケースは、特殊例と認めて、米ロが妥協すべきだつたと思ふ。さうすれば、双方の顔と利害も立ち、新秩序構築へと世界が動き出さずに済んだ。ところが、アメリカが国家主権への武力による侵害だといふ杓子(しやくし)定規な非難をして、その非難が何の力も持たなければどうなるか。事実上、大国による武力侵攻を認めたも同然になるではないか。

現在のアメリカ外交には、よくわからない点が多過ぎる。クリミア危機の勃発時期がソチ五輪と重なる以上、これはプーチンには不測の事態だつたに違ひない。お膝元でそんな事態が起きるのが、民衆による自然発生的現象とは考へ難い。英米の諜報活動が無縁とは思へない。が、それにしては、その後のオバマ外交が、相変らず、腹芸や外交技術なしの杓子定規な非難のみで、現実には力による現状変更を容認し、しかも中ロ接近をまるで促してゐるやうにさへ見える。一体どうなつてゐるのか。

その穿鑿（せんさく）はともかくとして、これは、ただちに我が国の危機となる。

中国が尖閣で武力による領土変更をしても、よほど理不尽で非人道的な映像でも流れない限り、世界の輿論はこれを容認するのではないか。国際社会が非難しても、事実上は、日本の泣き寝入りになる。ヨーロッパでも、尖閣は中国領だといふロビー活動は浸透してゐる。さうした中、先の日米首脳会談でオバマ大統領の口から「尖閣」の地名を発言させたのは非常に大きな成果ですが、その有効性の射程がどの程度のものかは、私にはまだ分らない。

勿論、尖閣への中国の野心は本物だ。現在のこの方面での中国の空海軍力はまだ不充分だといふが、逆に、その整備が終はつた時には、尖閣を中国が占有して、軍事拠点とすれば、台湾と沖縄とが両睨みになる。中国は太平洋ルートを確保でき、逆に日本の中東エネルギーのシーレーンが押さへられる。その時、アメリカは日本の頭越しに中国と手打ちさへしてゐれば、当面、国益を損なはない。現状で日本を巡つて米中の間に利害の著しい不一致はないからだ。

そこまで許してしまふ弱腰の日本に対してロシアがどう出るかも想像に難くない。我が国は四囲を牙を隠した強国に囲まれてゐる。堤防が一カ所破れた時は、全方位で崩しに掛かられるのは間違ひありません。さながら日本は十九世紀のポーランドや清のやうになる。

その結果、日本は中国の完全な属国になります。さうなれば、彼らは、戦後アメリカの対日政策の比ではないレベルで我が国の蹂躙を開始するに違ひない。真つ先に、皇室といふ中核価値を潰しに掛かるでせう。要するに、中国の属国化とは日本の歴史の終はりそのものである可能性が高い。今日本は一歩中国に譲れば、一歩属国化が進み、中国にシーレーンを押へられるに至ればもう取り返しは付かない。さういふ瀬戸際に来てゐる。歴史にはそこを押へられると民族の死活に関はるやうな危地がある。私は、この問題はさういふ民族的な危地だと思ふ。これは極論か。極論に見えるのは安倍首相だからではないか。

今や日本で政治を語る人達は「安倍首相である事」にすつかり慣れてゐるやうだが、首相が一年毎に交替、政局あつて政治なし、指導者の理念も戦略もなく、鳩山由紀夫氏や菅直人さへが首相になつてしまふやうな国――。ついこの間まで、それが日本の現実でした。現在の政治指導者として安倍氏は寧ろ例外中の例外だ。今のこの安定感を日本の常態と勘違ひしてはならない。残念ながら日本の政治が構造上、人材上、安定した訳ではありません。安倍政権の内に、臆病なままでの焦慮をもつて将来にわたつて中国の属国にならぬ国の土台づくりを完了させておかねばならない。

「積極的平和主義」といふ概念への肉付けの方針

そのためには、まづ、自衛権の再定義と、自衛隊法など関連法規の早期改正により、自衛隊を事実上国防軍に出来るだけ近づける事です。

次に、国際社会を敵に回さず、国民輿論を納得させた上で、憲法改正を成功させる事だ。この通過儀礼さへ無事通れれば、日本人は必ず内面的にも変貌する。さうなれば、本格的な国家論、戦略論の構築も、国家国益を担ふ志を最初から持つた若い人材集団も出現する時代が来よう。まづは、そこまでを繋ぐ事、これが我々の当面の目標だ。

自衛権の再定義は、既に安倍首相によつて、第一段階の壁の突破が実現しつつあるから、ここでは、より長期的に通用する外交戦略と外交理念について、少し語つておきたい。

まづ外交戦略の基本的な考へから言へば、米中の間で雪隠詰めになつてゐる日本が形勢を逆転するには、

①日本が米中それぞれのツボを押さえ、何らかの意味で脅威になる事
②アメリカにとつて中国こそが真に危険な脅威であり、日本を同盟国として選択し続けた方が遥かに国益になる事をアメリカに正確に認知させる事
③日本の存在が死活問題になる国を世界中にどれだけつくるか

これらのベストミックス、そこにしか活路はありません。

米中の脅威としての日本、これは、国際標準では核武装の事です。我々は四囲を全て、百年以内に戦火を交へた超大国に囲まれてゐる。核武装するのが常識でせう。しかし、その手を自ら縛

るといふ行き方のまま代替手段を探るなら、それは何か。

国の基本は資源、水食料、安全保障です。アメリカにとつても、中国にとつても、資源上、日本が必要不可欠になる事は考へ難い。まづは、アメリカと、広い意味での高度な外交能力と、軍需産業や共同オペによつて、相互に死活的に重要な関係を築くといふ方針転換しか、アメリカにとつて不可欠な日本になる道はないでせう。日本が絶対的な強みであり得る部分を確保しておく事。日本のある能力抜きでは、アメリカの安保政策に支障が出るといふ状態を想定し、そこから逆算して戦略を立てる。日米がさういふ状況になつてゐる事こそが、中国に対する最大の抑止にもなる。

中国については、今後、食料問題、環境問題、経済の行き詰まり、内政上の不安定要素が、確実に噴火を続ける事になる。日本を主語とした対中戦略は、当然必要だが、一方で、中国共産党政権そのものの立場に自ら立つてみての思考も必要だ。有体(ありてい)に言へば、中国の立場に立つた時に、どういふ問題をどう解決するかといふシナリオを作成してみる。そのために喉から手が出る程彼らが欲しい技術や方法や人材を日本が明確に知つておいて、これを押さへて手放さない。一言で言へば、内政問題を解決する為には日本の力を借りない限り不可能といふ状況をつくりだす事。以上が、喫緊のパワーポリティクス上の指針になるのではないか。

一方、外交理念としては、安倍首相が掲げてゐる「積極的平和主義」を、最大限空証文にしないで、対中抑止力として用ゐるにはどうしたらいいかが智慧の絞りどころでせう。「法の支配」

「力による現状変更の反対」「人権と自由といふ普遍的な価値の堅持」をただ唱へてゐるだけでは、早晩、間に合はなくなる。

そこで、「積極的平和主義」といふ概念の肉付けを至急行ひ、それを世界の知識社会やメディアに浸透させる必要がある。

その際の肉付けの方針は、以下のやうなストーリーでせうか。

今、世界秩序の流動化の予兆の中、人類は、二度の世界大戦、更に、冷戦下の核軍拡競争と共産主義独裁の崩壊を通じて学んだ最も重要な原理原則に、もう一度立ち返るべきだ。

①伝統と人権を尊重する自由社会のみが長期的に繁栄する事。そのやうな社会の育む人材こそが長期的な国家資源であり、買収、謀略、スパイ活動による他国の財の略奪によつては国家の繁栄は永続しない

②独裁政権は必ず崩壊する。民主化は世界史の法則であるといふ事

③大国間の戦争は、どの国の国益をも著しく損なひ、多くの場合、衰退の原因となる事

以上から導かれる国際原則は、経済・文化の競争と交流をベースにした相互の国力の発展であり、武力による領土変更の野心で相互が消耗し合はない事だ。経済が豊かになると、それに応じて食料と資源の必要量が増え、精神的には国民の自由や幸福への欲求が高まる。覇権主義的な他

国蹂躪は、経済交流による持続的発展といふ最大の国民福利の条件を壊し、結果として内政から国家が乱調する事を防止するのは困難である。最早、世界が相互に国力を高め合ふ長期的な秩序安定システムの強化以外に、国益の概念は存在し得ない。

以上は、世界史の最も深刻な教訓であり、二十世紀の歴史は、どんな大国もこの運命から免れ得ない事を示してゐる。

第二次大戦後日本は平和主義を堅持してきた。その点で、現代世界にあつて、今挙げた三原則の模範生であり続けたと言つていい。

ただし、その平和は、自衛権が行使できず、情報能力もない特殊条件下での平和だつた。この特殊な平和は、アメリカが世界の警察官から降りると宣言した今、見直されねばならない。つまり、我が国は、自前の国防能力と情報能力を持つ事によつて、新たな条件下での平和を維持する必要が生じたのである。

その新たな安全保障戦略としての「積極的平和主義」は、先に挙げた三原則に一層適合した日本、二十一世紀にも、改めて平和の使徒、平和の模範生たる為のものだ――大体かういふロジックになるのではないか。

憲法改正が死活的に重要だといふ議論を

さて、以上のやうな「新日本外交」と同時に必要なのが、憲法改正です。両者は連動する。日本の新たな外交戦略に対応する憲法が必要だからですが、それだけではない。逆に、憲法改正に際して、朝日新聞など国内メディアと中国の国際広報活動が、「軍国主義化する日本」で呼応するのは間違ひない。そのプロパガンダを封じ込める上で、「積極的平和主義」といふ新国是と憲法改正とが対になつてゐる事を示す必要があるのです。

何故日本国憲法が駄目なのかは、ここでは書きません。本書では充分な議論は尽くしてゐませんが、概要だけは第一章の「保守の本気を問ふ」に書いておいた。この問題はいづれ詳細に論じるつもりです。

ここでは、憲法改正は如何にして可能かといふ方法論のみを考へます。

まづ、憲法改正の必要性を国民に伝へる簡略なストーリーを我々が共有しなければならない。国民投票がある以上、従来の自民党政治の、玉虫色で落着を図る政治技術ではなく、国民を正面突破で説得しなければならないからです。

ところがよく考へてみると、保守派は、自分で思ひ込んでゐる程には、憲法改正が死活的に必要だといふ議論を徹底して磨きこんでこなかつたのではないか。確かに、日本国憲法は様々な意味で大変筋の悪い憲法です。いはばそれに油断して、我々は、こんなひどいのだから改正して当り前といふ前提に立つた思考や議論に終始してきた面が否めないのではないでせうか。

しかし、国民多数からしてみれば、たとひ欠陥だらけの住まひでも、七十年近く住んで致命傷はなかつたと思つてゐる訳です。この憲法の下、焼け野原から経済・技術大国にのし上り、一度も戦争をしなかつた。今や世界第二の大国である中国が世界中で日本の悪口を言ひ、尖閣で挑発を繰り返しても震へあがる日本人はゐない。「ちえ、本当に面倒な奴らだなあ」と思つてゐる。これは当たり前のやうで大変な事だ。虚実混在した自画像ではあるが、現に、それ程心の余裕のある――平和ボケといふ事は裏返せばさういふ事です――状態で、今日本人は落ち着いてゐる。その時、欠陥住宅だと言ふ指摘は、それだけでは、それを破棄したり改正するといふ行動には直結すまい。

我々に必要なのは、この憲法の現実的な致命傷、強烈な異常性、どうしても改憲をしないとならぬギリギリの理由――誰が聞いてもすつと頭に入つて、「なるほどさうだ、これは改憲に一票投じないと本当にまづい、大変！」と思はせるだけのロジックを磨ききる事だ。

現在、憲法改正を安倍政権下での現実的な課題として取り組んでゐる保守派間のコンセンサスは、九十六条、九条の改正と、非常事態規定の三点セットでの改正論です。筋論としては私も賛成ですが、現状では議論の説得力がまだまだ緩い。

逆に、護憲派の付け入る隙も要するにそこだ。

特定秘密保護法、集団的自衛権、憲法改正に共通する異様な事態があります。安倍政権がこれらの政策を展開する理由はなにか。端的に言つて、特定秘密保護法は、行政の内部に浸透してゐるスパイ活動を防止し、同盟国と情報を共有する為の第一歩だ。集団的自衛権への解釈変更は、海外日本人の安全確保と、アメリカとの軍事行動を国際基準に近づける事による中国への抑止効果を目的としてゐる。第九条による自衛隊の国防軍化も同様です。当然ながら戦ふ為の改正ではなく、抑止力を向上し、平和を維持する為の改正だ。

ところが、マスコミや東大・岩波・朝日系学者の議論では、話は全く逆になる。特定秘密保護法は国民の思想統制、全体主義化の恐怖の法案であり、集団的自衛権の行使が可能になるとアメリカの戦争に巻き込まれ、安倍首相は九条を改正して日本を戦争ができる国にしたいのだといふ。

我慢ならないのは、「平和」といふ言葉を取られてゐる事です。明らかに、護憲平和論者の思考停止こそ、軍事衝突と領土喪失、それを契機にした中国属国化への最短コースです。彼らは、鍵を付けようとすると「強盗が入るとは限らない」、火災保険に入らうとすると「火事になるとは限らない」、天気予報を見て傘を持つて出ようとすると、「当るとは限らない」と言ふ。そんな事は馬鹿でも分る。誰も明日の事は分らない。しかし、だから準備をしないのではなく、だから準備をするのではありませんか。護憲論者は、自分が会社に入る時、結婚する時、明日の事をまるで考へない相手を選ぶのか、それとも明日への周到な見通しを持つてゐる側を選ぶのか。私なら、「我が社は倒産を放棄する」といふ張り紙を指差しながら「このお札がある限り、うちは永遠に安泰なんだよ、君」などと言ふ馬鹿な社長の下で一日でも働きたくないものです。

要するに、彼らこそは「平和」の敵であり、戦争誘発者に他ならない。にも拘らず、我々は「平和」といふ言葉を取られ、それを大衆に喧伝（けんでん）されてゐる。

我々は、だからまづ言葉を取り戻さねばなりません。その為に、急ぎ、根本的なロジックを丁寧に組み立てる必要がある。重要なのは、東大憲法学・岩波・朝日系の主流学者の議論を、彼らの言葉に寄り添ひながら論破する丁寧な応酬だと思ひます。実は、護憲派憲法学の有力な学者も、今や、必ずしも改正自体を否定してゐない。朝日を批判しても朝日は痛くも痒くもない。しかし樋口陽一氏や長谷部恭男氏などと徹底的に理論的で精緻な論争を繰り返し、立つてゐる土台を相互に明確にする。いや、土台を共通にしたがらない彼らを土台に乗せる。要は、彼らを、学者の良心を売るか、学的な誠実を取るか迄、追ひ込む。さうすれば少なくとも余りにも学者の良心から逸脱したプロパガンダの片棒は担ぎ難くなるでせう。又、そのプロセスで、社会のエリート層、特に団塊の世代前後の「無意識」を強く規制してゐる護憲神話を解きほぐす鍵が見えてくるかもしれない。

一方、かうして護憲派との丁寧な応酬を経て、どうしても改憲せざるを得ないといふ所まで完備されたロジックを元にし、Q&Aを作成し、理論上全く不安なく、改憲運動に専念できる知的統一戦線をつくり上げる。

運動そのものに関しても充分練らなければならない。秘密保護法の時に大騒ぎして国民の八割が法案に反対する程成果を上げたのと同様の宣伝戦を、彼らは張つてゐる。

七〇〇〇支部もあるといふ「九条の会」や、過激な左翼運動の巣窟である各種労組が、国民の意識の隅々に憲法改正=軍国主義といふプロパガンダを浸透させつつある。知識人の頭数を押さへてゐるといふ事は、新聞、テレビ、女性週刊誌を始め、あらゆるところでの宣伝要員に事欠かないといふ事だ。

護憲派を象徴する政治家を福島瑞穂氏だと仮定すると、この人の情緒的平和主義は、国民に殆ど支持されてゐない。寧ろ、共産党の支持率の方が高い。一見ロジカルに見える主張が、一定の信認を得てゐるのでせう。

ところが女性週刊誌やテレビのワイドショーでは、瀬戸内寂聴氏や有名女優らが、感情だけで安倍氏をタカ派呼ばはりすると受ける。同調者には、年配の発信力あるノンポリ女性が多い。かうした情緒的伝播力は、雑草のやうに強い。極左組織より、国民投票になると遥かに強敵だ。

そして日本中の津々浦々に、その地域の「瀬戸内寂聴」が棲息してゐる。病院の待合室や喫茶店やカルチャーセンターで「坊ちゃん政治家の安倍が調子に乗つて、国民を戦争に駆り立てる、怖い怖い」と言つて、若い人たちに人生の説教をしてくれてゐる。我々民間保守は、街に出なければならないのではないか。我が街の瀬戸内寂聴をターゲットに政治談議をして、説得してゆくべきではないか。勿論、その場合にはロジカルな話だけではなく、彼女たちの心を大きくとらへて離さない漠然たる恐怖感を根つこから取るにはどうしたらいいのかといふ洞察が欠かせない。

つまり、政治的には福島瑞穂よりも共産党の方が浸透力がある。これはロジカルな面だ。ところが、輿論形成では瀬戸内寂聴的な情緒の浸透力が強い力を持つ。戦法が違ふ。両方を制する必要がある。

*

要するに、憲法改正といふ国家的な主題であつても、その手法は、冒頭に申し上げた具体的な作戦の積み重ねでなければならない。

戦後日本で七十年続いた国の土台を国民投票で変へようといふのです。これは条文如何の問題ではなく、行為そのものが革命に近い。別の言葉で置き換へませう。憲法改正は価値観や国家の行く末を争ふ内戦だ。比喩でなく、ある次元で間違ひなくなく内戦と定義すべき事態が既に生じてゐる。

私も、この稿を仕上げたら早速、憲法改正の為のロジックや戦略の具体的な研究に入ります。それが、本書の後、「日本を取り戻す」私の主戦場になるでせう。

終章

日本国民に眠る叡智

安倍総理への手紙

（『Ｖｏｉｃｅ』平成二十六〈二〇一四〉年七月号掲載論文を改稿）

総理、日頃の日本の尊厳と国益を賭けた戦ひ、そして日本の活力回復の為の政治の日々、心から敬意を表したいと思います。

今日は、しかし、総理擁護論ではありません。『約束の日』『国家の命運』以降、月刊雑誌の論文でも、安倍政権擁護論を展開してきた私が、「総理への手紙」と題して再びオマージュを繰り返すのでは、八百長のやうで面白くない。日頃、一部で蒙つてゐるらしい「安倍信者」なる綽名（あだな）を返上できるかどうかは覚束ないが、今日はいつもと趣を変へ、提言、場合によつては苦言を呈する事にしたいと思ひます。

安倍外交の成果を国民にどう伝へるか

現在、総理の最大関心事が外交・安全保障にある事は明らかです。そして、この分野では、既に、戦後空前と言つていい高得点を上げてゐる。ところが、各種輿論調査では安倍政権の外交についての評価が一貫して芳しくない。例へば本年（平成二十六〈二〇一四〉年）四月二十九日の『産経新聞』の輿論調査では、内閣支持率が五四・一％、そして消費増税への評価が何と六〇％、ところが外交・安全保障への評価は四四・四％、評価しないが四一・三％です。

これは勿論、専ら中韓寄りの安倍批判報道と、安倍政権の安全保障政策を軍国主義への逆行のやうに騒ぎ立てるマスコミの影響を輿論が強く受けてゐるからでせうが、マスコミのせゐだから仕方ないと言つていい問題ではないと思ふ。安倍外交をどう国民にアピールするかは、政権として真剣に取り組むべき最重要広報政策の一つだと思ひます。外交とは外の敵と熾烈に戦ふ事だけではなく、国民感情を一つに統合する為の内政上の重要な因子でもある。官邸の広報担当、あるいは外務省の広報担当か詳細は知りませんが、彼等には安倍外交の成果、つまり意味をどう国民に伝へるかといふ着想を持つて、是非専一これに当つてもらひたい。さういふ発想を本格的に持つ事――これは従来の自民党政治にも霞が関にもない事でせう。しかし、憲法改正を考へると、一層強力な輿論の支持が必要になります。最も高得点を上げてゐる外交での低評価――これを放置してゐては、とても改憲などは覚束ないと思ふ。

一方、政権発足から一年数カ月、安倍首相を最も強く応援し続けてゐる保守派の中で、懐疑の声が鳴り止まない問題は、総理自身も御承知と思ひますが、一言で言へば、安倍総理の社会・経済政策のグローバル度、――不正確な用語で本当は使ひたくないのですが――いはゆる新自由主義度でせう。

私自身は、今日まで専ら、保守派の異論に対して安倍政権を擁護する立場で論じてきた。何故なら、総論として、国際社会の趨勢の中で勝つ事を優先する事こそ、日本的価値の保守の底力になると考へてゐるからです。そして、安倍首相の大方針は正しく、保守の理念そのものを熟知してをられる。首相を強力に支持する事が、結局、日本的価値の保持への一番の近道だと考へてきたからです。その考へは当然、今も全く変らない。ただし、それは、保守派から出される異論が、原理的に間違つてゐるといふ事ではないし、又、原理的批判と現実政策をどう整合するかといふ工夫を放棄していいといふ事でもない。今日は、逆に、総理への手紙と題した以上、そこに関する私見をきちんと書いておきたいと思ひます。

本がどうしても見え難い

『論語』を読み始めると、「学而第一」の最初の方に、「本立ちて、道生ず」といふ言葉が出てくる。『論語』の中でも、とりわけ平易だが、本質をずばりと突いてゐる名句だ。総理が最も心魂を砕き、直接、采配を振つてゐると思はれる外交・安全保障では、これが見事に生きてゐる。総理ご自身が、「本」を立て、そこから具体的な政策や政局を判断する資質に富んでゐる方だからでせう。しかし、これは日本人にはかなり珍しい資質であつて、日本では有能な人間程、得てして、大目標を設定せずに、比較的小さく短期的な目標に猪突猛進する傾向がある。理念の設定なしに目先の必要から政策判断をして、段々本質から外れてしまふ傾向がある。

内政に於いて、私が違和感を覚えるのは、総理自らがリードしてゐる外交・安全保障と異なり、――アベノミクスのスタート時は別にして、長期的な――「本」がどうしても見え難い事だ。

内政上、最大の「本」は何か、これは間違ひなく、人口激減社会を抜本的に転換する事だと思はれます。

そして、第二に経済政策だ。アベノミクスといふのは攻めの政治です。これもかつてないスピード感と政治のリーダーシップが日本社会の活力を間違ひなく劇的に取り戻しつつある。否定する人は、民主党政権時代の沈滞感を思ひ出せと言ひたい。しかし、そこで見落とされてはならないのが、社会は陰陽のバランスで成り立つてゐるといふ根本原理です。陰をどう守るかを考へるのは、陽で攻める以上に重要な政治の役割だ。いや、長く攻め続けるには陰の力を絶えず蓄へておかねばならない。そこが干上がれば攻め疲れして、かへつて社会は疲弊する。分野で言へば、地方、農業、中小企業をどう位置付け直すかだ。「ふるさとづくり推進会議」のやうな提言機関を大胆に発展させ、国の根幹として、これらを全面的に構築し直す事、これは安倍政権だからこそ可能な事ではないでせうか。

今、労働政策で特化されてゐるのが、女性であり、第二に、ここに来て外国人労働者だが、これは「本」ではありません。女性は、本来、第一義的に労働力として見るべきではない。寧ろ、フェミニズムの浸透や人口激減社会の蟻地獄から女性を救ひ出す事から発想すべきではないか。

外国人労働者についての積極的な政策そのものは、――私は必ずしも否定しないが――物の順序としては末でせう。「本」はあくまで日本の持続的な根力をどう守り育てるかにあります。

以上、要するに、どちらも、「本」の立て方が、外交の時のやうに行つてゐないのではないか。効果の上がりさうな、或いは一部の主張者が優先したい「末」から着想してしまつてゐて、話を「本」から下ろしてゐない。勿論、効果が上がる「末」で日本全体の元気を回復するのは、当座の政治的判断としては全く正しい。が、次の手として、今から、より「本」となる政策を練り始めておくべきではないか。戦後の安全保障が根本的な倒錯の上に成り立つてゐるのと同様、戦後の社会政策も根本的な倒錯の上に成り立つてゐるからです。

家族こそが人間にとつて根源的な単位

人口激減問題――。
内閣府が二月に出した資料は衝撃的でした。現状の出生率のまま展開すると百年後の日本の人口は四四〇〇万人。出生率が二・〇七に上がつたとして九〇〇〇万人。移民受け入れを毎年二〇万人づつすると仮定した場合、一億一〇〇〇万人になるといふ。序章で既に触れてあるので、詳しい議論は省きますが、出生率二・〇七といふのは、日本の多くの国民が二十代前半で結婚して三人は子供を持ちたいといふやうな社会の空気感にならない限り不可能です。小手先の税制優遇やちよつとした呼びかけでは、この空気は動かせない。

さすが安倍政権は、動きが早く、二〇六〇年の人口を一億人に確保するといふ数値目標を出した（五月十四日付各紙朝刊）。単なる数字を出しても仕方ないなどとシニカルな事を言ふ向きがあるかもしれないが、これは出さない場合に較べ、雲泥万里の違ひだ。「これまでの延長線上にない少子化対策が必要」といふ認識を政府が持つた上での目標数値発出である点、大きな一歩だと思ふ。

ただし、どんな思ひ切つた政策でも、通常の意味での政策だけでは、この状況を逆転するのは無理でせう。端的に言つて、個人主義イデオロギーに対して、民族の本能がノーと言つてゐる、それが人口激減の本質だと思はれるからです。

戦後、フランス革命的な個人主義が無原則に拡大し、それのみが絶対化したなれの果てが現代日本です。しかし人間の基本的な単位は個人ではなく家族だ。家族の中で子供が育まれ、家族の拡大としての地域共同体が地域の子供を育んでいく。最初に絶対の個として生まれてくるやうな人間は現実には存在しない。Atom としての個といふのは単なる理論的、仮定的存在に過ぎない。現実に存在する人間は、家族の一員として言葉も自意識もないまま育つてゆき、長じるに従つて個の意識を獲得してゆく。Homo sapiens が社会的な人間に育つ過程そのもの、つまり家族こそが人間にとつて根源的な単位であるのは、論理的に自明ではないか。

現実問題として、個人といふ単位を絶対視すると何が起きるか。今の日本社会が証明してくれてゐる。感情の衝突、利害の衝突が至るところ、家族や学校や職場で無数に起きる。尊厳ある個人の自由を各々が享受できる社会どころか、お互ひが監視し合ふ全体主義国家に近くなつてきてゐる。匿名のネットにおける中傷や告発が今どんなに多い事でせう。何百万、いや恐らく千万といふ単位の人々が、社会の中で裸に晒され、心を病み、鬱病となり、心の帰るべき場所を持てないでゐる。

個人が癒される場所は本来家族であり、祖父母、親戚であり、地域社会だつた。これらを全部取つ払つてAtomとしての個を絶対視した結果、それは強くも美しくも幸福にもなつてゐない。父性と母性両方を尊重する社会、これも復活させねばならない。憲法にある両性の平等は、男性女性、それぞれの性差を尊重する事でこそ達成される。男女の性差を故意に無視する社会は両者を共に傷つけます。今日本人がどれだけ自信を持てなくなつてゐるか。我々はそこを直視しなければならない。父が父の場所にゐて尊敬されなければ、男性は永久に自信を持てません。母が母として尊敬されない社会では女性が心の安らぎを覚える空間はありません。そして父、母が自信を持てない社会が、強い子供をつくる事はできません。

安倍総理、行き過ぎた個人主義によつて荒野となつた日本の、精神的な緑化運動を是非始めて頂きたいのです。今、長期的なトレンドとして、国民の価値観が家族の大切さへと戦後かつてなく回帰してゐる事などは、戦後イデオロギーへのこれ以上ない明白な破産宣告でなくて何でせう。是非、極端なフェミニストや個人主義者を中心とした政策エリートの価値観で国民の自然な心情を傷つける「改革」ではなく、国民の家族回帰に寄り添つて政策を肉付ける方針に、この数十年の、内政政策レジームを、ここで転換して頂けないものでせうか。

陰の力が強ければ、陽もダイナミックに動く

さて、第二の経済政策については、安倍政権に対して保守派が最も危惧する点でせう。端的に言へば、小泉政権の二の舞になるのではないかといふ危惧です。規制緩和とグローバル化を推進し、日本の隅々まで自由競争の原理を入れて行く事で、社会の安定と人心の平穏が損なはれ、一部の圧倒的な勝ち組を生み、格差を助長し、経済原理一辺倒の社会になる。日本が強欲資本主義によつて荒野になるのではないか。

勿論、総理は、「強欲資本主義ではなく、瑞穂の国の資本主義」といふフレーズで、事あるごとにモノづくりを基本とした日本独自の資本主義のあり方に言及されてゐる。しかし政権発足一年半、「瑞穂の国の資本主義」が肉付けされ、その方向に総理の強い意向が示され、国民に共有されてゐるかといへば、これは全くさうは言へないでせう。

経済政策に本来、イズムは必要ありません。長期的に安定した緩やかな成長を描く政策を調整する以外に経済政策はありません。経済政策において劇的な結果を出せるのは大胆な金融政策だけであつて、ケインズ的な公共事業や成長戦略といふ、第二、第三の矢は恐らく高度に成長しきつた今の日本社会では、魔法のやうな効力を発揮する所まではゆかないでせう。しかしさうした中だからこそ、規制緩和とグローバル化を促進する攻めと、瑞穂の国の資本主義をがつちり守る

政治とは何かについて、改めて、整合性を出さねばなりません。

から書きながら、心苦しいのは、保守派が規制緩和やグローバル化を口を極めて批判しながら、実は「瑞穂の国の資本主義」の為の理念も政策も極めて大雑把にしか出せてゐない事だ。例へばＴＰＰが日本を根源的に破壊するといふやうな決めつけは全くナンセンスだと、私は繰り返し主張してきました。日本農業の活力、可能性を奪つてきたのは外圧ではありません。例へば、農協であり、集票の為に農業の活力を奪ふ利益誘導を長年してきた旧来の自民党です。農業を強くしながら守る。国民的な産業として、国民が農業を尊敬し憧れる。専業と兼業を棲み分けさせて、それぞれの長所を選択できる職業としての幅をつくる政策も、従来全く不十分でした。

日本の商店街の多くも、外国資本によつて壊滅したのではない。数あるコンビニも、全国に展開している郊外型大型店も、その多くは国内企業です。要するに日本の活力を日本内部でどう引き出すかが、問はれてゐる。

しかし、です。この「匙加減」を、競争の勝者ばかりが集ふ、現在の経済財政諮問会議や産業競争力会議に事実上委ねる、といふ事ではいけないのではないか。

人間には、活力に満ちた挑戦が必要だし、さうした人間が勝つてゆくのは当然だ。しかし、社会には、のんびりと動きを止めてゐるやうな空間や風景や人間たちの営みも又大切です。東洋的に言へば陰陽の原理です。陰の力が深く、強ければ、陽も又ダイナミックに長期的に動ける。しかし、社会政策に、この陰への慎重な配慮の強い意思表示がないと、社会は逆に、活力疲れを起します。

二つの諮問会議のメンバーは、成功したベンチャー系の企業人や、大企業でも勝ち組が名を連ねてゐる。私はこれを否定的には見ない。議事録を見ても、実にダイナミックで見るだけで痛快な議論が多い。私も根が陽性で、動いてゐない事が嫌ひ、勝てない戦など大嫌ひだ。しかし、この顔触れは典型的な陽の人材、それも陽で勝ち過ぎる位勝つてきた人達だけで構成されてゐる。

一方、日本の中小企業は、企業数で全企業数の九九・七％を占め約四三〇万社、従業員数で、全従業員数の七一・〇％に当る約二八〇〇万人が働いてゐます。圧倒的な勝ち組は殆ど出ない。しかし共同体として日本人が身を寄せ合ひながら、力強く地道に暮らす一番の現場だ。規制の悪用、自助努力の不足、さうした要素を指摘し、勝てる体質をつくりなほせといふ議論は分る。しかし私は、それは少し議論がずれてゐる気がする。勝つ事の意味が違ふ。目覚ましく勝つ事と、息長く地道に地域の産業のバトンを若い世代にリレーする事――これはどちらも勝つてゐる。しかし、勝ち方が違ふ。

要するに、陰陽の内、総理は、まづ政治の強力な牽引力を示して、陽の側に本気と希望を与へる必要があつた。それをセーヴする必要はない。が、それを支へてゐる陰＝つまり日本の根つこに当る部分をどうするか。それこそが、中小企業であり、地方であり、農業である。

全地方がそれぞれに華やぐ新日本の設計を

現在手薄なのは、これらをどうするかについての総合的な地図です。無理もない、これらの問題に本気で取り組むとなると、明治以来の近代日本の国是の抜本的方向転換となるからです。日本では、江戸時代、幕藩体制が地方に人材と産業の独自性を生んだ。それが明治維新と共に、強力な統一国家形成の必要から中央志向に転換する。中央志向、東京志向、グローバル志向や、大企業志向、農業から工業へ、工業から様々なサービス業や情報産業への移行――これらは全て近代の進歩主義的な国是と社会意識から生じた事です。このイデオロギーや社会意識、分り易く言へば憧れ、さうした価値観のベクトルの延長上にいはゆる新自由主義はある。

このベクトルには一種の普遍性があり、人々を促す力は強い。それは否定しようのない力です。が、地方、中小企業、農業といふ根つこの部分こそ魅力があり、価値があるといふ価値観が、同じ強さで共存するやう、転換を図る必要がある。いはゆる急進的な近代化の最終過程が高度成長だつたとすると、その後、当然、中央への吸引力と地方のそれが拮抗するやうなベクトルの大規模な修正が必要だつた筈なのです。さうしなければ、遠心力だけ働いて、求心力のないまま、日本そのものが徐々に消えてしまふ。「日本創成会議」で、近い将来、全国で八九六市区町村が消滅の危機に直面するとの試算結果が出たといふが、それは正にかうした大きなベクトルが齎(もたら)した問題だ。

東京に皆が群れたいといふ状況から、地方の中核都市にも、同じ位、人材が集まりたくなる国に転換する。これは、地方分権や道州制などといふ制度から入つても絶対に失敗する。この二十年の「改革」が殆ど全て国力を消耗し、メリットを生み出さなかつた事の再現にしかならない。要するに本当の問題点を抉つてゐないまま、アイデアが先行してゐる。そもそも人材といふものは、どういふ場所に集まるか、集まりたくなるか、といふ事を考への起点にしなければならない。「人間」そのものへの洞察を起点にしなければならない。

道州制などで莫大な行政の変更の手間と金を掛ける位なら、人材の地方への分散の起点を、県庁所在地の地方大学に置けばいいのです。そこにこそ地元の最も高度な人材が集まるやうな流れをつくる事から発想してみる。その地域と大学と産業界が一体となり、目玉となる強い産業や、文化、学問を育てる。既にあるやうな、国際的人材になるには秋田の国際大学、先端ＩＴなら沖縄――これは安倍政権が決めた方向性――も良いが、同時に、地域の強みをそのまま生かす事も必要だ。都市部よりもずつと衣食住環境の優れた地方都市も多い。抜群に美味(うま)い酒、魚や地の野菜と空気、広い家があつて、どうして地方が疲弊しなければならないか、私には分らない。金ではない、予算ではない、先立つものは人材力です。新しい価値への転換に必要なのは、処理能力の高い優等生ではなく、安倍総理御自身のやうなヴィジョネールだ。ヴィジョンを見る人が主導しない限り、地方の再生などといふ大転換がうまくゆく筈がない。問題を行政の弊害の是正などに矮小化しない事だと思ひます。

中小企業も同じです。起業に当つての大胆な法人税減税など、各種の優遇措置や、一定の保護政策は必要だと思ひます。

しかし、ここでも本質論から議論を立て直さねばならない。

日本では、モノづくりは価値づくりです。単なる食へるパンではなく、どこよりも美味しいパンをつくらうと思つて、鎬を削つてゐるパン職人が全国に何千、何万人ゐるかわからない。しかもそんな風に追ひ求められた抜群に美味いパン、世界中探してもないやうなバタールやクロワッサンが、二五〇円か三〇〇円で売つてゐる。日本人は、金と違ふ原理でモノづくりに夢中になる。この価値づくりの情熱と金をどう結びつけるか、中小企業政策を支へる理念は、一つはそこにあるでせう。そして、それこそが日本型資本主義の原点である。

貨幣論から出発する経済学ではなく、元々価値への無償の情熱を中心に生きてゐる日本人のあり方をどう経済と接合するか、逆の発想が必要ではないか。

いはば、産業競争力会議の課題であるグローバル化で勝てる日本と並行して、日本そのものを内側で強化する、この面で、産業競争力会議と同格の、総理の肝煎りとして、地方・中小企業が大いに燃える事になるやうな会議を中央につくれないものでせうか。短期的な「世界で勝つ」の安倍日本が、同時に、国家百年の計として、明治以来の中央志向ではなく、全地方がそれぞれに華やぐ新日本の設計を開始する。これで車の両輪となるのではないか。整合性は、後で出せばいい。鎬を削る事そのものから、国民の国家への参加意志も色濃く出て来るでせう。

大雑把な議論ばかりして恐縮です。が、かうして書いてくると、いづれにも通ずる重大な共通項が浮かび上がります。どれもが国民挙げての強い意識改革をしなければ達成できない課題だといふ点です。民意を受けた国家指導者である首相が、国民的主題として、国民に問ひ掛け、一緒に解決する為の精神的な牽引役となる、さうしない限り事態は動かない。日本の政治史でも全く新しい局面だ。そして、さうした課題の最大のものこそが憲法改正でせう。

国民を信じ、強く、本音で、ストレートに

ある方が、かつて私に話してくれた事がある。「安倍政権は、普通の国の普通の政権であれば一〇〇点と言へるだけの政治だと思ふ。しかし安倍総理の場合、八五点なんだ。なぜか。残りの一五点は歴史認識問題であり、安全保障の自立であり、憲法改正だ。つまり『戦後レジームからの脱却』といふ、普通の国の指導者には課せられない部分こそが、残りの一五点だからだ。そこを一点でも余計に得点してゆけるかどうか、それが安倍総理の天命だ」と。

実際、集団的自衛権の解釈改憲を巡つては、マスコミのみならず自民党内部からさへ反安倍の狼煙が上がりました。普通の国ではそもそも議論にならないテーマです。国家といふのは、国民の安全を保障する為の組織であつて、自衛権について議論があるとすれば、自衛できるか否かといふ事だけなのが普通だからです。ところが日本といふ国は、国そのものが国家の責務を明確に引き受けてゐない。だから国民の安全を保障できるかどうかといふ現実の議論ではなく、神学論

争になる。船が現に沈み始めてゐるのに、どこの穴を塞ぐかではなく、それを塞ぐ事の法的正当性の有無を延々と論じ、穴を塞がうと懸命に動いてゐる人間を妨害してゐるやうなものだ。船の上ではぶん殴つて黙らせればいいだけの話だが、デモクラシー国家ではそんな乱暴な事もできない。

安倍総理の課題は、一言で言へば、国でないものを国にする事です。しかも、総理の周辺の与党議員や官僚の多くも、戦後レジームからの脱却といふ総理のテーマを、本当に日本に必須だと考へてゐる人間はまだ少数派なのではないか。腹の中では安倍首相の個人的趣味程度にしか思つてゐない人間さへ多いのではないか。この状況で総理はレジームチェンジを完遂しなければならない。

だからこそ最後に、総理に申し上げたい。

我々も国民の啓蒙に努めますが、早晩直面する安倍政治の本丸、憲法改正においては、是非、総理が、国民を信じ、今まで以上に、強く、本音で、ストレートに語りかけて頂きたい。

霞が関、自民党議員、公明党を説得し、手練手管で手懐ける政治手腕は必要だが、しかし、憲法改正は、安倍総理の課題ではなく、国民の課題です。国民一人ひとりが、問ひに直面し、考へ、引き受け、選択しなければならない課題です。集団的自衛権の行使容認に向けた記者会見は大変素晴らしいものでしたが、あそこでは総理は、政府と御自身の責務を語つてをられた。しかし憲法改正は、国民が主語、理解してもらふといふ姿勢ではなく、選択を迫る手厳しい言葉が必要になると私は思ふ。

日本の政治と中央行政は、かつての自民党時代、『論語』に言ふ「民は由らしむべし、知らしむべからず」に則り、結果を出す事で国民を説得してきました。

しかし、憲法改正は、「由らしむべし、知らしむべからず」では通過できないし、またそのやり方で突破してはならない。

国民が総理の真摯な言葉を、自分と子供や孫の命運がかかつてゐる根本的な主題なのだと、受け止めるかどうか。受け止めると信じ、本当の言葉、様々な側近の助言によるオブラートに包まぬ最もストレートな総理自身の真直ぐな言葉を、しかるべき時に、国民に投げかけて頂きたい。

勿論、今のやうに総理の記者会見を異常に曲解して恥ぢないマスコミを野放しにしておいては、全く言葉が伝はらない。そのまま伝はる方法は、我々も考へます。総理の言葉は、正確に伝はりさへすれば、日本人は、そこで語られてゐる内容以上に、総理が本当に伝へたい心そのものを、必ず受け止める筈だ。安倍総理の言葉にはいつもそのやうな――通俗的な使ひ方をされ過ぎて余り用ゐたくない言葉なのですが――「言霊」が籠つてゐる。総理の言葉は、それをきちんと聴いた国民の間に、確実に精神的な共同体をつくりつつあります。どれだけ長い間、我々は、政治家の、リアリズムに裏打ちされた「真率」な言葉に餓ゑてきた事でせう。

私は総理を信じ、また日本国民に眠る叡智を信じてゐます。それゆゑにこそ、この点を特に安倍総理に託し、筆を擱かうと思ひます。

本書は、二〇一四年七月にＰＨＰ研究所より刊行された『最後の勝機（チャンス）』に加筆、一部を修正し、改題した新版です。

小川榮太郎（おがわ・えいたろう）

文藝評論家、社団法人日本平和学研究所理事長。1967年生まれ。大阪大学文学部卒業、埼玉大学大学院修士課程修了。フジサンケイグループ主催第18回正論新風賞、第１回アパ日本再興大賞特別賞受賞。著書に、『小林秀雄の後の二十一章』『約束の日　安倍晋三試論』（以上、幻冬舎）、『作家の値うち　令和の超ブックガイド』『左巻き諸君へ！　真正保守の反論』『徹底検証「森友・加計事件」――朝日新聞による戦後最大級の報道犯罪』（以上、飛鳥新社）、『最後の勝機（チャンス）』(PHP研究所)など多数。

安倍晋三の遺志
日本国民よ、「喪失」を超えて「覚醒」せよ

2023年1月9日　第１刷発行

著　者　小川榮太郎　

発行人　岩尾悟志

発行所　株式会社かや書房
〒162-0805
東京都新宿区矢来町113　神楽坂升本ビル3F
電話　03-5225-3732（営業部）

印刷・製本　中央精版印刷株式会社

定価はカバーに表示してあります。
Printed in Japan
ISBN978-4-910364-24-7 C0031